朝日新書
Asahi Shinsho 903

歴史の定説を破る

あの戦争は「勝ち」だった

保阪正康

朝日新聞出版

まえがき

私たちは、歴史を見つめたときに幾つかの大きな過ちをおかしているのではないか。

歴史とは「過去との対話」であると同時に、「現在の影絵」でもあると、私には思える。先達が編んできた史実と向きあい、その意味を考えるための真摯な対話。あるいは現在の私たちの姿に反映している先達たちの誠実な教え。それが歴史の本質である。

あえて「過ち」という言葉を使うのはなぜか。

史実に貼られたレッテルを、何の確かめもなしに口にしている軽率さを指している。自省を込めつつ、まずその点を問いたいのである。レッテルを、常識、定説と言い換えてもいいだろう。その定説は果たして真実なのか。それを見きわめるためには、私たちにも発想の転換が必要となろう。

本書はそこに挑戦し、もう一つの見方を示すことで、歴史に膨らみを持たせようと試みるものである。歴史をこれまでの固定した見方ではなく、もっと柔軟性を持たせて本質を見つめようというわけである。

たとえば、太平洋戦争は近代日本の崩壊の儀式であった。明治27〜28（1894〜95）年の日清戦争以来、大日本帝国はほぼ10年おきに戦争を繰り返し、そして敗れ崩壊に至った。軍事主導体制での国づくりは見事なまでに崩壊したのだ。戦闘に敗れ、戦争に負けたのだ。これが史実である。

この戦争に負けたあとに識者が書いた論文や、さらにはその見解などに触れていくと、筋の通った芯があることに気がつく。戦争に負けるということは、人を純粋な心理に到達させて自省するということかもしれない。

石原莞爾（かんじ）といえば、満州事変の責任者である。日中戦争には反対するが、基本的には大日本帝国の軍事主導体制の牽引役を果たした。石原の「世界最終戦論」は、戦時下で一部の知識人には影響を与えている。石原が中心になって結成された東亜連盟もまた、独自の思想団体として歴史に位置づけられている。太平洋戦争の前に、陸軍の権力を握った東條英機の策謀で軍の中枢から追い出されているが、その言動は自らの戦争論である「決戦戦争」と「持久戦争」を鼓吹して、強い影響を与えた。ここまでは、石原の事跡のいわば定説であろう。しかし、その石原が戦後になって発言した内容を改めて見ていくと、戦時下とは全く異なることに気がつく。

あえて引用するならば、戦争に負けた以上、潔く、「軍備を撤廃した上、今度は世界の世論に、われこそ平和の先進国であるぐらいの誇りをもって対したい」(『新日本の建設とわが理想』)と書いているし、祖国の再建とは「世界の最優秀国に伍して絶対に劣らぬ文明国になり得る」ことだと説くのである。

石原は、軍事で根本からこの国は敗れてしまったのだから、非軍事で最高の文明国になってやろうではないか、と訴えたのだ。

もう一人挙げれば、言論人の石橋湛山(たんざん)を語らなければならない。戦前、戦時下にあっても一貫して軍事大国化の道に反対して、小日本主義を訴えてきた。近代日本の歩んだ道が極めて不幸だということを冷静に批判していた。その石橋が戦後すぐに、彼の雑誌でもある『東洋経済新報』に「更生日本の針路」という一文を書いている。世の中には敗戦に打ちひしがれて茫然自失の者もいるだろう、あるいは悲憤慷慨の者もいるだろう。そう前置きしたあとで、次のように書くのだ。

「我が日本の前途を悲観する如きは、従来国民に与えられた教養の不足のいたす所で、一面無理もない次第ながら、その無知ははなはだ憐れむべしといわなければならぬ」

この戦争に負けた現実を嘆くのは、無知蒙昧の輩だと決めつけている。むしろ新しい日本を作るいい機会ではないかと言っているのだ。石橋は国民に向けてこのように激励した。戦争に負けることで、真の日本をつくり得るという論の持つ力強さに、私たちは注目すべきであろう。

石原莞爾や石橋湛山だけでなく、敗戦直後に書かれたこうした論文や見解は、何を物語るのであろうか。言うまでもなく、戦争に負けた事実を嘆き悲しんでいるのではない。「平和」という時代に生きることで、我々は新たな時代の勝者になり得るのだと言っているのである。戦争に負けたことは、平和の時代に勝者になる機会を得たということだと、示唆していると考えてもいいだろう。

石原のように、平和の先進国になってみせてやればいい、というのが敗戦直後の日本人の意識だったと知れば、私たちの国は何と度胸の据わった哲学や思想を持っているのかと、改めて歴史を見直したくなるではないか。単純に変節だとは言い切れぬ面もあるのだ。

こういう重層的な見方の中に、この国の強さがあると自覚しなければならない。

本書は近代史、現代史のそれぞれの77年間を踏まえたうえで、新たに始まる時代の中で、私たちの模索の道筋を示そうとの試みとして書かれている。ぜひあなたの発想の転換の一助に役立ててほしいというのが、この書への私の思いである。

著者写真撮影／山本倫子
本文写真提供／朝日新聞社

歴史の定説を破る

あの戦争は「勝ち」だった

目次

第5章 アジア・太平洋戦争は「勝ち」――真の利害得失 145

だからこその役割／「被爆国」からの説得力を持つ論理／台湾有事は米中戦争に発展しない／国家の戦争が死滅する時代へ／偽善が入り込んではいけない／安心を求める戦争で安心は得られない

第1章　戦争の勝利・敗北とは、何なのか

真っ二つに破壊されたウクライナの集合住宅＝2022年７月、キーウ州ボロジャンカ

（Ⅰ）ロシア・ウクライナがたどり着く終戦

常識の裏にひそむのは？

人類の歴史とは何だろうか。人々の営みが地上に記した足跡、痕跡だろうか。だが足跡や痕跡だけなら風雨に消され、いつか見えなくなってしまう。しかし、私たちが体験した「記憶」は口伝えに次代に受け継がれ、「記録」もまた引き継がれていく。

年月の経過での途絶が心配ではあるが、それらの伝承が歴史となり、私たちのいわば「常識」や「定説」となっていくのだろう。

果たして、その常識とは「真実」なのだろうか。そうとは言い切れまい。むしろ常識や定説の裏側にこそ、歴史の本当の姿が隠されているのではないか。生物学的なアプローチや考古学の手法など、人類が英知を集めて我々の歴史の追究に努めてきたことを承知のうえで、あえてそう問いたい。

歴史の裏を読むことで、また、「逆転の発想」をすることで、全く新しい姿や本質が見えてくるのではないか。

人類史は、すなわち戦争史と言い換えることができるとするなら、日本が近現代に経験した戦争の「勝ち負け」という常識もまた、新たな視点で分析していかなければならないだろう。常識や定説の裏から何が姿を現すのだろうか——。

大いなる錯覚

戦争の勝ち負けという結果には二つのパターンがある。オーソライズ（公認）されたものと、既成事実化されたものである。

前者の典型は第一次世界大戦、第二次世界大戦だ。片方の国家の軍事が戦闘で徹底的に叩きのめされて、政治が降伏文書に調印する。それによって戦勝国と敗戦国がオーソライズされる。

もう一つの既成事実化された勝ち負けとは、政治が降伏文書に調印しないうちに、戦闘に勝った国家が一方の領土をずるずると占領し、新たな支配の構造を作ってしまうパターンだ。たとえば中東戦争。今もパレスチナ紛争は続いているが、イスラエルは中東地域で歴然と支配力を行使しており、事実上、勝ち負けは決しているように見える。

いずれにしろ、戦争の勝ち負けはそれほど単純なものではない。

実際に戦争が起こった「その時」には勝っているが、特定の時期から離れて歴史という俯瞰(ふかん)図を持ち込むと、じつは負けていることがあるのではないか。

あるいは、その時にじつは勝っていないけれども、勝ったという「擬態」の中で勝ち負けを評価していたことがあるのではないか。

戦争は国家が目的を掲げて行うものだ。だから戦争の目的が完遂されていなければ、「戦闘には勝ったけれども戦争には負けた」と呼べる状態があり得る。国家的目的を達成していない戦争は勝ったとは言えないだろう。

また、たとえ目的を達成したとしても、半永久的に恨みが残ったり、のちに復讐されたりする。それも勝ったとは言えないのではないか。

日本が勝ったと言われている日清戦争や日露戦争もこのような問題意識、つまり勝ち負け逆転の視点で見ると、その勝ちは全く疑わしいものになる。

たとえば日露戦争で、日本は南樺太やロシアが持っていた中国の一部の権益を獲得した。だから日本は勝ったことになっている。ただし、それはアメリカが間に入って日本に賠償金を諦めさせて終結させた結果だった。しかもロシアは負けたとは思っていなかった。加えてロシアにとって日露戦争は、その後のロシア革命の予行演習、あるいは第二次世界大戦で日本に宣戦布告する口実になったとも言える。

つまり、短絡的な戦争の勝ち負けの評価は本質的な問題を隠してしまう、あるいは矮小化する。そのことによって大きな錯覚の世界に入っていく。だからこそ、人類は際限なく戦争を繰り返しているのではないだろうか。

プーチンの罪は半永久的に問われる

勝ち負け逆転の視点は、今日のロシアによるウクライナ侵攻（ウクライナ戦争）を考えるうえでも重要だ。

ウクライナ戦争は、ロシアが軍事という暴力を使ってウクライナに攻め入ったことで始まった。欧米諸国はロシアを不正義、それに抗うウクライナを正義と見て、その正義を守るためにウクライナにも暴力が必要と、武器供与や作戦立案、兵士訓練など軍事支援を続けている。ゼレンスキー大統領が国際社会にそう呼びかけ、欧米がそれに応えている形であり、日本を含め国際社会はこの状況をおおむね支持している。

プーチン大統領は根拠のない楽観的なデータをもとに、ウクライナとの戦闘は早期に決着し勝つと思っていた。しかし、現実はその思惑を裏切っている。このままウクライナ東部・南部に限定された戦いが続けば、欧米の支援によってウクライナが戦闘に勝つ場面も出てくるのではないか。

とはいえ、ウクライナ全土の都市部を無差別に爆撃する戦闘にエスカレートしたら、ウクライナは徹底的に破壊され、負けるかもしれない。

しかし、それは一時的な軍事、戦闘における負けでしかない。

たとえばロシアが核ミサイルを撃ち込んで勝ったら、国際世論と歴史の中でその罪は半永久的に問われる。核を使わないまでも、ロシアは戦闘地域以外のキーウなど都市部を攻撃すればするほど、国際社会から孤立し、国力が衰退していく。戦闘に勝ったとしても、政治的あるいは歴史的な意味の戦争には負けたことになる。

つまり、ウクライナはたとえ戦闘に負けたとしても、大きな意味では戦争に勝ったと言える可能性が高い。

戦闘が戦争の重要な要素の一つであることは間違いない。ただし、あくまでも戦闘は戦争の一部だ。だからこそ、戦闘には負けたけれども戦争には勝った。逆に、戦闘には勝ったけれども戦争には負けた。そういう論理が成り立つ。

結局、勝者なしのウクライナ戦争

ウクライナ戦争を通じて、私たち日本人は、「不正義」の暴力・軍事には「正義」の暴力・軍事で抵抗するしかない場面を見続けている。さらに中国や北朝鮮をめぐる問題で、アメリカが正義を守るために軍事力を強化せよと呼びかけている。そんな中、岸田文雄政権は防衛費を大幅に増額すると決定した。軍事力を行使できるように憲法を変えようとする議論もある。

正義を守るために軍事力が必要だという論理は、いかにも正しいように見える。しかし、昭和史を少し眺めれば、極めて危険な論理だとすぐに気づくはずだ。

日本の軍部が起こした昭和6（1931）年の満州事変以降、血盟団事件、五・一五事件、二・二六事件など相次いだテロを見ればわかるように、暴力を容認する軍事力が前面に出てくると、社会は暴力化し、それが戦争に結び付いていく。結局、日本は戦争を選び、多くの国民の生命と財産を失った。

日本が第二次世界大戦に負けたからそうなったのではない。軍事力が前面に出てきた時点で、国家の体制そのものが内側から崩壊していた。つまり、日本は戦う前から「敗北」と呼ぶべき状況だったと言える。

たとえ民主主義体制であろうと、戦争はその体制を崩壊させる。だからこそ、正義を守るために軍事力が必要だという論理は危険なのだ。

その意味では、ウクライナ戦争にも勝者はいないのではないだろうか。

正義か不正義かを脇に置いて、戦争自体を「敗北の選択」と考えると、私たちは戦争になる前に、戦争に結び付く問題を解決していかなければならないことがよくわかる。

それがわかれば、日本社会に広まっている「軍備をもっと増やせ」の声がいかに軽率な議論か、容易に気づくことができるはずだ。

（Ⅱ）戦争の本質を世界史に探る

戦争が起こる三つの理由

なぜロシアのプーチン大統領はウクライナへの「特別な軍事作戦」を始めたか。私には、ロシア系住民の保護やＮＡＴＯの拡大阻止といった国家的な理由よりも、プーチン個人のエゴイズムを満足させるためのように見える。その中身は反歴史的なソ連時代への回帰だ。これはクリミア侵攻以来、変わっていないのではないか。

戦争が起こる理由は古来、大きく三つある。

一つ目は生存手段の確保。具体的には食料や資源などを戦闘によって獲得する。

二つ目は安心できる空間の確保。そこにいると安全が保障される場所を確保する、あるいは拡大する。つまり縄張り争いだ。この二つは動物にも通じる本能的なものと言っていい。

三つ目は支配欲。他者を支配したいという欲求だ。近代戦争の本質を科学的・体系的にまとめた名著とされる、19世紀プロシアの軍事学者カール・フォン・クラウゼヴィッツの『戦争論』は、「戦争とは、相手を我々の意志に従わせるための暴力行為である」と定義している。自分の意志に従わせたいと思うのは、まさに支配への欲求であり、人間ならではの感情と言える。

支配欲については宗教や民族、イデオロギーをめぐる戦争がわかりやすい。「自分のほうが優秀だから劣等な相手を支配して当然だ」とする、いわば増上慢は、ナチス・ドイツによるホロコースト（ユダヤ人大虐殺）のようなところにまで行き着く。

①生存手段の確保

②安心できる空間の確保

③支配欲

この三つの理由は、言うまでもなく、相互に絡み合って戦争を引き起こす。たとえば、しばしば経済的な衝突と市場の拡大をめぐって戦争は起こる。これは①②③の理由が全て関わっていると言える。

ウクライナ戦争はどうか。プーチン大統領が安心できる空間、つまりNATOに対する緩衝地帯と、ゼレンスキー政権の打倒によるウクライナ支配を強く求めたから起こったと言える。これはまさにソ連時代への回帰というエゴのむき出しだ。

第二次大戦の終戦から現在まで、世界で300ほどの戦争が起こったとも言われる。大部分はいわゆる内戦だが、そういう数字を見るにつけ、戦争を欲する心理は人類の基本的欲望ではないかと思えてくる。

そう考えると、戦争の理由などは、まず軍事上の行動を起こしたうえで、後からいくらでもつけられると言ったほうが、むしろ正確だろう。

「国民の参戦」はナポレオン戦争から

クラウゼヴィッツの『戦争論』は、ナポレオン戦争（1799〜1815年）を踏まえる形で戦略・戦術を論じている。フランス下級貴族の軍人（のち皇帝）ナポレオン・ボナパルトによるヨーロッパ諸国への侵攻が、戦争の本質をそれ以前の戦争とは決定的に変えたこともあって、クラウゼヴィッツの『戦争論』は今なお通用する「教科書」となってきた。

ナポレオン戦争は領土拡張が目的の帝国主義戦争だった。つまり、ナポレオンの支配欲の充足と同時に、フランスにとっての安寧の地を確保するための戦争だった。

帝国主義戦争は、軍隊がここまで押さえておけば誰も侵攻してこないという安心を求めて支配地域を拡大していく。いわば結論のない心理状態だから、常に不安がつきまとう。つまり、帝国主義戦争は心理的要素が強く、病的な現象を引き起こす。

領土を広げていく軍隊は相手を追い詰めて空間を全部支配しようとする。地の果てまで追いかけていけばどうなるか。最後は自分が崖から落ちるしかなくなる。終わりがなく、最後は自己崩壊するしかない。アレキサンダー大王など、心理的に崖から落ちていった帝国の君主は枚挙にいとまがない。

この意味では、ナポレオン戦争もそれ以前の戦争と変わらない。では、何が決定的に違ったのか。

ナポレオン戦争以前の帝国主義戦争は、主によそ者の傭兵や奴隷が戦う戦争だった。

ナポレオン戦争はフランスの「国民」が兵士となって戦った。つまり、ナポレオン戦争は世界史上初めての国民国家による戦争（国民戦争）であり、これが近代戦争の決定的な特徴と言える。

1789年のフランス革命では、市民が暴力によって君主から主権を奪取した。ナポレオンは国民投票によって皇帝に選ばれた。フランス国民は領土拡張の戦争続行を支持し、「自由・平等・博愛」という自分たちの国の理想と繁栄のために、自ら戦闘に加わった。それは彼らにとって革命と同じ、いわば正義の暴力だった。

だからナポレオン軍は強かった。周りは全部、王国・帝国で、戦う兵士はよそ者だ。いざとなればさっさと逃げ出す。ナポレオン軍は兵隊の士気と人数で圧倒的に優位だった。ロシア遠征の敗北を機に、支配地域（オランダ、イタリア、ナポリ王国、スペイン、プロシア、ワルシャワ大公国、オーストリア、デンマーク・ノルウェー）が離反し、ナポレオンは失脚する。しかし、ナポレオン戦争の影響は大きく、ヨーロッパの軍事は「国民の参戦」を前提にした戦略・戦術へと変わっていくことになる。

「原価計算」が近代帝国主義戦争の特徴

「国民の参戦」のほかにもう一つ、近代の帝国主義戦争には大きな特徴がある。それが「原価計算」だ。

15世紀から17世紀前半の大航海時代。イギリスやスペイン、ポルトガル、フランス、オランダといったヨーロッパ列強が、先進的な航海術と造船技術によって、南北アメリカ大陸やアフリカ大陸、アジアに出て行って各地を軍事的に制圧し、自分たちの植民地にしていった。主な目的は金や銀、香辛料などの物産、奴隷の獲得だ。18世紀後半の産業革命以降は、これに石炭や鉄などの資源の確保や市場の拡張が加わる。

植民地の権益をめぐって、ヨーロッパ列強は長く縄張り争いを繰り返し、ときに大がかりな戦争（17世紀後半の英蘭戦争など）にもなった。ただし、列強が莫大な費用をかけて軍事を投入するのは、あくまでも自国の経済的利益、財政や産業の隆盛のためだ。裏返すと、経済的利益がなければ攻め込まない。つまり、戦争や植民地支配に原価計算が持ち込まれるようになった。特に産業革命以降はその傾向が顕著で、これが近代の帝国主義戦争の大きな特徴だ。

またヨーロッパ列強では、植民地から富を収奪することによって経済的に発展する過程で、新しい哲学・思想（グロティウス、ホッブズ、ロック、ルソーによる社会契約説など）が登場し、アメリカの独立やフランス革命、産業革命やナポレオン戦争の影響もあって、各国は市民社会化していった。

市民社会化とは、たとえば、政治体制における君主制から共和制・民主制へという動きだが、「そもそも他者を支配することは非人間的ではないのか」といった人道主義的な反省も含まれる。

しかし、今日のウクライナ戦争を見てもわかるように、支配欲は徹底的な敵の抹殺を引き起こす。これも避け難い「戦争の本質」と言える。

（Ⅲ）日本独自の「原価計算」がもたらした悲劇

対外戦争を知らない明治以前の日本の特異性

近代の帝国主義戦争は戦闘をやるかやらないか、勝つか負けるかの判断に原価計算が入ってきた。さて、日本の戦争はどうだったか。

15世紀から18世紀後半までの日本は、そのような世界史の流れの中の戦争とは全く無縁の形で、国内の支配をめぐって戦闘を行ってきた。それぞれの大名が支配圏を拡大し、国家統一を目指す内戦を繰り返した。国家統一を果たした豊臣秀吉が朝鮮出兵（文禄・慶長の役、1592〜1598年）を行ったが、その後の江戸幕府は対外戦争を約260年も封印し、幕末まで「鎖国」を続ける。

つまり、日本は近代国家として歩み始める明治政府が誕生するまで、世界標準の戦争の形態とその本質的変化をほとんど理解することなく過ごしてきた。

もちろん中世・近世の日本の内戦は「国民戦争」ではない。基本的には武士階級の戦闘である。ただし、お百姓さんを傭兵として戦わせた。つまり、伝統的に日本の軍事は、いざとなれば農民を武士階級として吸収する。それで戦闘に備える形だった。

大名が自領内の農民を戦場に駆り出すにはカネがかかる。手柄を立てたら褒美を与えなければいけないからだ。その意味では大名も損得勘定はしたのだが、ヨーロッパ列強のような経済的利益の原価計算とは明らかに違う。

要するに日本は、戦争の形態がいろいろ変化していく世界史の流れとは、別な形の戦争を長く繰り返してきた。必然的に、その体験から育まれる戦争観も、全く異質なものになったと言える。

とりわけ江戸時代、260年も続いた鎖国政策の影響は大きい。ずっと対外戦争を忌避し、国内だけの政治をやっていた。大規模な内乱や武士階級の戦闘もなかった。だから領土を失うといった国家的な損害もなく、戦死者もいない。つまり、戦争の悲劇性を経験していない。加えて武器の発達もない。鉄砲はあったものの、基本的には刀と槍、弓矢と石つぶてだった。

ただしそれは「遅れた、進んだ」という話ではない。日本は、対外戦争を切り離して歴史を作ってきた特異性を有する国家であり、そのユニークさが近代・現代の日本の戦争観に流れ込んでいる。そこを理解しておくことが重要だ。

軍事哲学なき近代国家づくり

世界史の中では、どの国も大規模な対外戦争を繰り返している。特にヨーロッパでは大航海時代以降、植民地や領土をめぐって頻発した。

神聖ローマ帝国（ドイツ・オーストリア）のカトリックとプロテスタントの内戦がヨーロッパ中に波及し、死者800万人を出したとされる三十年戦争（1618〜1648年）も、要はヨーロッパ列強の覇権争い、権益確保のための「帝国主義の内ゲバ」だった。ちなみに、その講和条約であるウェストファリア条約は、列強がお互いの領土を尊重し内政に干渉しないと約束したもので、近代国際法の元祖と言われる。

もちろんそれ以前にも、王位をめぐってフランスとイギリスが戦った百年戦争（1337〜1453年）や、聖地エルサレムをめぐってキリスト教徒とイスラム教徒が戦った十字軍遠征（1096〜1291年）など、それこそ枚挙にいとまがない。

クラウゼヴィッツの『戦争論』は、こうした分厚い対外戦争の歴史的経験を踏まえて記述された「軍事哲学」と言える。ナポレオン戦争以後も、フランス・イギリス・オスマン帝国の同盟軍とロシアが戦ったクリミア戦争（1853〜1856年）や普仏戦争（1870〜1871年）など数多くあった。

さて、日本史の中ではどうか。

日本の対外戦争は幕末まで、秀吉の朝鮮出兵のほかには百済（くだら）と連合して唐・新羅（しらぎ）連合軍と戦った白村江（はくそんこう）の戦い（６６３年）、モンゴル帝国の襲撃に応戦した元寇（文永・弘安の役、１２７４・１２８１年）くらいしかない。幕末には、薩摩の島津家の家来がイギリス人を殺傷した生麦事件をきっかけに起こった薩英戦争（１８６３年）と、馬関海峡を封鎖した長州とイギリス・フランス・オランダ・アメリカの軍艦が大砲の撃ち合いをした下関戦争（１８６３〜１８６４年）があるが、いわば小競り合いだった。

内戦はどうか。明治新政府を誕生させた戊辰戦争の死者数は１万人を下回る。死者１００万人とされるフランス革命や60万人以上とされるアメリカの南北戦争に比べれば、数字上の規模は小さい。

日本は、特にヨーロッパ列強に比べて対外戦争の経験が圧倒的にない。それゆえに明治政府は、軍事に対する経験に基づく知恵の蓄積、つまり日本独自の軍事哲学がないまま、近代国家づくりをスタートさせたと言える。

薩長中心のいびつな軍事政策

鎖国政策の江戸時代、国際情勢は長崎の出島などを通じて様々な情報が入っていた。しかし幕府は、日本が国家としてどういう軍備を持つべきかといった「軍事学」を研究する必要性を感じなかった。

幕府が常に持っていた軍事的警戒心は、各藩が弓を引くのではないかというものだった。直属の旗本や御家人がその監視にあたったが、訓練や教育を含め、特に軍事的に組織化されていたわけではない。

軍事学を研究していたのは、武士の心構えを説いた佐賀藩の『葉隠』を見てもわかるように、むしろ各藩のほうだった。出来のいい家臣を長崎に送り、主に幕府からの干渉に対抗するため、軍事的な備えをしたはずだ。

たとえば加賀の前田家は、反乱を起こして支配体制をひっくり返すのではないかと常に幕府から警戒されていた。その警戒心を解くため、前田家はカネを乱費した。参勤交代の時には3キロもの行列をつくり、どんどん道中にカネを落としていく。私たちに軍備に回すカネはありませんよ、というアピールに違いない。

一方で、加賀の国境には何カ所か主要な関所があった。関所は幕府から派遣された役人の管轄だが、それとは別に、前田の家臣も農民のふりをして畑仕事をしながら見張っていた。毎日、今日はこういう人物が入ってきたと独自の報告書を作成して、金沢城の本丸に送る。本丸の政庁で、この旅芸人は幕府の密偵じゃないか、などと詮議するためだ。疑わしければ旅芸人が泊まる旅籠に駆けつけて内密に調べる。つまり、藩を守るためのスパイ活動を行っていた。

また、金沢城には「三十間長屋」と呼ばれる多聞櫓（たもんやぐら）がある。食料や食器の保管庫だったが、江戸後期には武器庫になった。前田家は密かに大量の武器を買い集め、その動きを隠すため、わざわざ長屋と呼んでいたように思える。

薩摩の島津家や長州の毛利家、仙台の伊達家なども、幕府の目を意識しながら密かに軍備の拡充を進めた。たとえば伊達政宗は、幕府を倒すから軍事支援をしてほしいと請う書状をスペインに送ったりしている。

そういうある種いびつな軍事学が薩摩と長州を中心に、戊辰戦争などを経て明治維新から近代日本の軍事学になったとも言える。

近代日本の軍事政策の出発点は、やはり薩長の連合軍の軍事学だろう。前述のように、幕末に薩摩は薩英戦争、長州は下関戦争と、どちらも小規模とはいえ、また、あっけなく敗れたにしろ外国軍と戦った。その戦いで、日本が鎖国で長く眠っている間に西洋列強が遂げたすさまじい軍事的発展を身に染みて感じた。こういう実戦経験は、戦後の交渉も含め他の藩にはない。

薩長は西洋列強の軍事力・外交力と日本のそれとのあまりの格差に愕然とし、幕府が全く何も手をつけていないことに強い危機感を持った。だからこの二つの藩は、外敵を追い払う攘夷(じょうい)派だったが「転向」して、早速イギリスに留学生を送った。イギリスから軍事的支援も受けた。そして薩長は連合して、倒幕へと突き進んでいく。

新たな覇権争いの中での開国

1853年に「国を開け」とアメリカから4隻の軍艦に乗ってペリー提督がやってきた。日本を威嚇する砲艦外交で幕府は鎖国を解く。そして1858年にアメリカ、オランダ、ロシア、イギリス、フランス5カ国と修好通商条約を結ぶ。それは西洋列強の利益をむき出しにした典型的な先進帝国主義の内容だった。いわゆる不平等条約だ。

たとえば、関税の自主権がない。日本の商品を相手国に輸出するときには税金がかかる。相手国の商品を日本に輸入するときには税金を取れない。裁判もそうだ。相手国の大使館員などが傷害事件を起こしても日本に裁判権はない。植民地に適用されるような不平等条約だった。

攘夷派だった薩長は、こうした幕府の開国路線に反発して薩英戦争、下関戦争を起こした。その経験をもとに、開国したからには西洋列強並みの国力を備えるしかなく、そのためには西洋列強のやり方に倣(なら)うしかないと、いわば戦略的な路線変更をする。だからこその倒幕であり尊王であった。

そして明治維新。1867年に大政奉還・王政復古がなされ、翌68年に元号は明治と改まる。日本は薩長を中心に近代国家としての国づくりをスタートさせる。

その頃の国際情勢はどうか。ナポレオン戦争後、ヨーロッパ列強が縄張り争いはやめて現状を維持しようと合意した、いわゆるウィーン体制は崩壊していた。国家の統一運動や市民革命運動、植民地の独立運動とも関連して、領土や植民地をめぐる小競り合いが繰り返されていた。

当然ながら先進帝国主義国の中にも強弱があった。

大まかにはイギリスが一番手、ナポレオン戦争の敗北から回復したフランスが二番手、不凍港を求めて南下政策を進めるロシア、鉄血宰相ビスマルク率いる新興勢力のプロシアがそれに続く三番手。普墺戦争（1866年）に敗れたもののハンガリーと連合したオーストリア、統一直後のイタリアが四番手。

王位継承をめぐって内戦を繰り返すスペインと、ポルトガル、オランダは多くの植民地を持っていたものの衰退していた。

そのような国際競争の場に南北戦争（1861〜1865年）を終えたアメリカが出てきていた。アメリカはヨーロッパ列強に比べて圧倒的に歴史が浅い。言ってみれば突然顔を出してきた新参者だ。しかし、実力はあるから帝国主義的政策を希求する。ただし、ヨーロッパ列強がすでに手をつけている植民地には入っていけない。入っていけば戦争になるが、まだ勝つ見込みは薄かった。

だから国際競争の中で新しい形で地位を確保しようとする。ヨーロッパ列強が入っていない日本にやってきたり、ロシアからアラスカを買収（1867年）したりした。米西戦争でスペインからフィリピンやプエルトリコ、グアムを奪ったのは、ようやく1898年のことだ。

なぜ「ヨーロッパ列強に倣う帝国主義国家」を選んだか

砲艦外交で日本の近代国家づくりは始まった。とはいえ新政府の中心である薩長は明確なプログラムを持っていなかった。そこで改めて国際情勢を眺め、先進帝国主義国の後追いをする選択をした。

明治維新の頃の日本国内の政治的議論を整理すると、目指すべき国家像には五つの選択肢があったと考えられる。

①ヨーロッパ列強に倣う帝国主義国家
②ヨーロッパ列強とは異なる道義的帝国主義国家
③自由民権を軸にした民権国家
④アメリカに倣う連邦制国家

⑤攘夷を貫く小日本国家

明治4（1871）年から不平等条約の解消や国づくりの参考のため、1年10カ月にわたって欧米を歴訪した岩倉使節団（岩倉具視が特命全権大使、大久保利通・木戸孝允・伊藤博文・山口尚芳が副使）は、当初アメリカを真似しようと想定していた。しかし国土の広さと民族の多様さが日本とは違い過ぎて、とても真似できないと判断する。

岩倉使節団はアメリカ滞在後、イギリスとフランスを中心にヨーロッパ11カ国を歴訪した。そして普仏戦争を通じて国家を統一し、戦争にも勝利した日の出の勢いの帝国主義国ドイツ（プロシア）を目指すべき国家像と考えるようになった。

その方向性は、まず軍事に表れる。新政府は最初、フランスの軍人を教官に招いて軍隊の近代化を図った。しかしすぐに帰してしまい、ドイツに教官派遣を要請する。フランスは国民の軍隊で、ドイツは皇帝の軍隊だからだ。それで明治18（1885）年、陸軍大学校教官として近代日本の軍隊の基礎をつくるメッケル少佐が来日した。

明治22（1889）年に発布された大日本帝国憲法も、明治15（1882）年にドイツに渡り憲法の理論と実践を調査した伊藤博文の報告など、ドイツ帝国憲法（ビスマルク憲法）の影響を大きく受けている。

日本はある意味では世間知らずの子どものごとく、国際社会の中に出て行ったと言える。その前段には、幕末にアメリカ、オランダ、ロシア、イギリス、フランス5カ国と結んだ不平等条約がある。つまり、新政府の対外政策における最大の課題は不平等条約をどうやって解消するかだった。

新政府は、相手を騙して血を吸いまくる先進帝国主義国の狡猾なやり口は骨身に染みて感じていたはずだ。しかし、それを真似る帝国主義国家の方向に進んだ。それが不平等条約解消の一番の近道と考えたわけだが、それ以外の国家像を選んでいたらどうであったか。歴史にイフ（ｉｆ）はないと言うけれども、一考する価値はある。

①ヨーロッパ列強に倣う帝国主義国家を目指すのは、いかにも下手な接ぎ木のような無茶なやり方だった。対外戦争を全く切り離して歴史をつくってきた日本の本来的構え、つまり元々の根っこと、その繰り返しの歴史を持つヨーロッパ列強の最新のやり方、つまり接ぎ穂との間では、「思想」という栄養分がうまく繋がらない。だから妙な形に育

っていくのは、ある意味当然だっただろう。

精神力で補う自己陶酔の軍事思想

明治23(1890)年の大日本帝国憲法の施行からわずか4年後、明治27(1894)年に日清戦争が起こる。次章で詳述するが、日本は国家予算の4倍もの賠償金を獲得する。明治30年代はそのカネで軍備を充実させたり、外国に留学生を送ったりした。

日本はその「勝ち」によって、戦争に勝つとは、相手に降伏文書に調印させて賠償金を得ることだと考えるようになる。つまり日清戦争以降、軍事が国家の一番の「営業品目」になり、軍人たちは「営業マン」になっていった。

不平等条約を解消するためには「富国=経済発展」と「強兵=軍備増強」が必要だと言っていたのが、強兵すれば国が富むという考え方になった。

要するに日本では、戦争はカネを稼ぐためのものになった。これは先に述べた先進帝国主義国の原価計算と似ているようでかなり違っている。

後の太平洋戦争(1941〜1945年)がわかりやすい。一応、原価計算をして、長くは戦えないとわかっていたが、不足分は精神力で補うのだと言って開戦した。途中からは数字そのものを隠して原価計算が全くできないようにした。それは原価計算の全否定だった。その象徴が特攻作戦と玉砕である。

日中戦争（1937〜1945年）・太平洋戦争の時の日本は、原価計算型の戦争を始めていながら、しだいに敗色が濃くなって自己陶酔型の戦争に入っていった。

自己陶酔型とは何か。たとえば、昭和18（1943）年に陸軍の教育総監部は681ページにも及ぶ『皇軍史』を刊行した。下級将校向けの教育本を普通の兵士や一般の人に読んでもらうためで、物資不足の時代には異例の上質な紙を使っている。

そこには、「今戦っている軍隊はなんと幸せなんだ。なぜなら神武天皇から続く神軍の兵隊だから。私たちは崇高な存在なんだ」といったことが書いてある。

これは江戸時代までの武士の否定だ。つまり、武士は長く忠誠を誓う対象を間違えていた。天皇ではなく大名を主君として仕えていた。それは大きな過ちで、今の軍隊がやっと日本の正常な原点に帰って戦っているんだ、と。

日本軍は神国日本を守るために天皇のもとで戦っている神兵の集団である。これが終戦まで日本の軍事の思想的な支えになった。まさに原価計算といった科学的態度とかけ離れた自己陶酔であった。

また『皇軍史』には、日本はかつて外敵と戦って負けたことがないと書いてある。しかし、負けたことがないと言えるのは近代の日清戦争以降だ。こういう歴史の解釈も自己陶酔でしかないだろう。

戦争の残酷さを知らず、人命を無駄遣いした

人間の命を原価計算に含めるかどうか。日本は特攻と玉砕からもわかるように最後まで含めなかった。ただし、将官クラスの命は原価計算に組み込んだ。たとえば、彼らは戦後の軍人恩給をサラリーマンの何倍、何十倍ももらう。これは日本のいびつな面だ。

西洋もかつては兵士の生命は数のうちに入れなかった。しかし、民主主義的な人権の考え方が浸透するにつれて、人命が戦争の原価計算の柱になってくる。特に第一次世界大戦で飛行機や戦車が登場し、失われる人命が桁違いに多くなって以降、人命の損失が戦争反対の最大の理由になっていく。

第二次大戦時のイギリスの首相チャーチルは、第一次大戦時には海軍大臣だった。彼は第一次大戦後、戦争が残酷なものに変わったことを指摘している。

「アレキサンダーやシーザー、ナポレオンは兵士たちと一緒に戦場を駆け巡った。これ

ミクロネシアのヤップ島で、雑草の中に横たわるゼロ戦の残がい。上空を飛ぶのは朝日新聞社機「早風」＝1975年

からの英雄は安全で静かな事務室にいる。兵士たちは電話一本で機械の力で殺される」という具合に。

第一次大戦で、兵隊は塹壕(ざんごう)の中で食うや食わずで毎日鉄砲を打っていた。作戦を練る参謀は後方にいて暖衣飽食の生活であった。戦争の機能分化と言えばそれまでだが、残酷な現実だ。

西洋は20世紀になって、そういうことを自らの体験を通じて自覚した。第一次大戦の主戦場を経験していない日本はそれを自覚できなかった。だからこそ特攻と玉砕ができたと言ってもいい。

第二次大戦の時の日本では、安全な場所にいる東條英機たち軍事指導者が贅沢をし、前戦にいる兵隊を飢えさせ、「兵隊さんのことを思え」と銃後の国民も飢えさせた。それがさも当たり前であるかのように。

つまり、日本は軍事力の不足を人間で補った。この考え方は明治政府から変わらない。軍事指導者は国民が差し出した生命を好きなように使った。昭和14（1939）年の国策スローガン「産めよ殖やせよ」も、いわば保険みたいなものだ。それで特攻と玉砕に行き着き、国民の生命を無駄遣いした。

ちなみに日本の戦国時代には、大名たちが戦後に兵隊たちの面倒を見る、いわば社会福祉があった。もちろん、これはヒューマニズムの視点での人命尊重ではない。共同体の指導者は、それに従う構成員がいなければ成り立たないのだから、古今東西、こうした兵隊に対する手当てはあって当然だ。

日本にもヒューマニズム的な戦争反対思想はあった。たとえば、日露戦争の時の内村鑑三の非戦論だ。彼は日清戦争の時には義戦論だったが、その信仰、つまりキリスト教の思想から戦争そのものは絶対的な悪だと考えるようになった。

あるいは日露戦争の日本海海戦で活躍した海軍作戦参謀・秋山真之は戦後、大本教に入るなど宗教研究に没頭して戦争から遠ざかった。その背景には相当な苦悩があったはずだ。

また明治天皇は日清戦争の時、御前会議で開戦が決まると、これは朕の戦争ではないと言った。日露戦争開戦の御前会議の時には涙を流している。

これはヒューマニズムと言うよりも、戦争に対する恐れだ。江戸時代は本格的な対外戦争を全くやっていないから恐怖感があったのだろう。

日本は「負けてよかった」のか

日本は太平洋戦争に「負けてよかった」のだろうか。

後の章で詳しく述べるが、まず昭和20（1945）年8月15日の時点で、負けてよかったという本音が国民の間にあったことを忘れてはいけない。

この日のだいぶ前から、多くの人が日本は勝つわけがないと思っていたけれども、口には出せなかった。東條英機の戦争観は「勝つまでやる」である。負けると言っただけで国賊と呼ばれ捕まった。戦中の日本人は、いわば嘘の陰で真実をごまかして生きていた。それが実際に負けることによって解放され、正直に生きられるという喜びがあった。国民の生命や財産の無駄遣いが終わる喜びもあった。だから「よかった」とすぐに反応する人が少なくなかった。

また明治以降、日本人は朝鮮の人たちを馬鹿にしたり、いろいろな国の人たちを「土人」扱いしたりと傲慢極まりなかった。そんな国が国際社会でまともに相手にされるのか。戦後、日本はそのような増長を自発的に潰していく必要があった。

私は日本軍のかつてのエリートの話を数多く聞いた。その中には「あのまま日本が勝っていたら、高慢極まりない、反省も何もない国になっていた。そういう国になっていたら戦争で負けなくても潰れた」と語った人もいる。

小津安二郎の映画「秋刀魚の味」（１９６２年）の中にも、戦後に偶然再会した海軍時代の戦友が軍艦マーチの流れるバーで、「負けてよかったんじゃないか」「確かに、馬鹿な野郎が威張らなくなっただけでもよかった」と会話するシーンがある。

そして後知恵になるが、やはり戦後から今日までずっと戦争をしていないことが理由として大きい。

ただし負けてよかったという言説の中には、ある種の狡猾さが感じられるものもある。たとえば、戦中に片棒をかついだことには頬かむりして、いわゆる終戦記念日に「平和が大事」とお題目のように毎年繰り返す大手メディアの言い回しだ。その種の狡猾さには気をつけないといけない。

(Ⅳ) 戦争で失ったものを戦争で取り返すという思想

三国干渉で失った権益を日露戦争で取り返す

日本のように戦後80年近く全く対外戦争をしていない国は珍しい。前述のように江戸時代も同様だ。ただし明治になって間もなく日清戦争を始め、そこから10年おきに戦争を続けた。あの時代、いかに拙速に西洋の真似をしたか、その一つの証左だ。

こうした歴史の中に、第二次大戦での負けはすでに流れ込んでいたのではないか。たとえば、日清戦争後の三国干渉を見ればよくわかる。後で詳しく述べるが、フランス・ドイツ・ロシアは黙って日本に戦争をさせて、終わってから文句を言い、中国における権益だけを獲得した。これは西洋列強に「はめられた」と言える。

近代の日本は西洋列強に比べて愚鈍で、そこを狙われ利用されて戦争に駆り立てられた面がある。日露戦争でも太平洋戦争でもそういうパターンを繰り返した。

また、「戦争で失ったものは戦争で取り返す」という戦間期の思想がある。たとえば、日本は三国干渉で失ったものを取り返すために日露戦争を始めたと言える。ナチス・ドイツは第一世界大戦で失ったものを取り返そうと第二次世界大戦を始めた。今のロシアもそうだ。ソ連時代に冷戦に負け、1991年にウクライナを失った。つまり30年後、「やはり俺のものだ」と、失ったウクライナを取り戻すために侵攻を始めた。これはロシアの戦間期の思想と言える。

戦後、日本はそういうことを一切言わなくなり、80年近く戦争をやっていない。これは世界史的にも稀有な例だし、「成長」の証しと言っていいかもしれない。

侵略戦争を禁ずる国際ルールの無力

ロシアは第二次世界大戦でも「戦争で失ったものは戦争で取り返す」ことを行っている。日本に対する1945年8月8日の宣戦布告がそれだ。9日未明からは攻撃を開始している。

日ソ中立条約を一方的に破棄しての参戦だが、これはヤルタ会談（1945年2月）

での秘密協定に基づいていた。アメリカのルーズベルト大統領はソ連のスターリン書記長に、日本を挟撃するため満州（現中国東北部）に第二戦線を作ってほしいと頼んだ。スターリンはわかったと答える。ただし、条件がある。今まで我々が日本との戦争で失った南樺太などを全部取り返させてもらう。それでよければ協力すると。ルーズベルトは了承した。そこに北方四島も含まれていたことで、日ロの領土問題は今なお続く。

スターリンはヤルタ会談の後、外務大臣モロトフに、これでやっと日露戦争の復讐ができると言った。日本がポツダム宣言を受諾した1945年8月14日の後、スターリンはアメリカのトルーマン大統領と電報で日本占領に関するやり取りをする。スターリンはソ連の北海道駐留を認めるように求めた。しかしトルーマンは、占領政策は連合国軍総司令官のマッカーサーが全て決めるからと突っぱねた。

「戦争で失ったものを戦争で取り返す」のは、どの国もずっとやってきたことだ。ただ、1928年にパリ不戦条約ができて、戦争はその国際ルールのもとで、お互いが一定の範囲で行うものになった。たとえば、他国への侵攻は許されない。だから理屈上、戦争には自衛の戦争しかなくなった。つまりパリ不戦条約以降、「戦争で失ったものを戦争で取り返す」という理由で戦争を起こすことは許されなくなったはずだった。

しかしヤルタ会談の米ソの密約、あるいは今のウクライナ戦争を見ればわかるように、侵略戦争を禁ずる国際ルールはある意味で無力と言える。

すぐ目の前の第三次世界大戦

アメリカの軍人が書いた『第二次大戦に勝者なし　ウェデマイヤー回想録』（講談社学術文庫、1997年）によると、第二次世界大戦時のアメリカの軍人たちは、できるだけ少人数の犠牲で多くの利益を生むことが戦争の勝利だと考えていた。

だからルーズベルト大統領の戦争の進め方を激しく批判した。ルーズベルトは、日本やドイツを無条件降伏まで追い込むという目標を掲げて、どれだけ人間が死ぬかを考えなかった。つまり、あの時にアメリカの中には、戦争の勝ち負けをめぐって政治と軍事との対立があった。

軍人たちの考える戦争の進め方はこうだった。日本やドイツに戦争を起こさせる勢力や制度、思想がある。あるところまで戦力を叩いたら、必ず国内でそれを変えなければいけないという反省が起こる。だから叩くと同時にそういった反体制派をサポートする。そのうえで日本やドイツを倒す。それが本当の戦争の進め方だと。つまり、戦争の原因になっているものを除去することが本当の勝利だというのだ。

ウクライナの軍事博物館に展示されていた旧ソ連時代の中距離核ミサイル（SS20）移動式発射台＝2017年、キエフ（キーウ）

それに対してルーズベルトは、最後の最後まで戦って日本やドイツを二度と立ち上がれないようにする進め方だった。極端に言えば、日本やドイツの国民を皆殺しにしてもいい。そのためにアメリカの若者がどれだけ犠牲になるのもやむを得ないというものだ。

これでは戦争の原因は除去できない。日本やドイツはもちろん、アメリカの中にも恨みや復讐心が残り、また新たな戦争の火種になる。

第二次世界大戦時の日本、ドイツなどに限った話ではない。世界の国々がそれぞれ「戦争で失ったものは戦争で取り返す」戦間期の思想を抱えている。その意味では、いつ第三次世界大戦が起こってもおかしくない。しかし、後述するように核戦争になれば人類そのものが破滅へと向かう。まさに「第三次大戦に勝者なし」だ。

どうしたらそれを回避できるのか。戦争の歴史の中で「勝利・敗北とは何か」を改めて問い直すことで、戦間期の思想を乗り超える教訓が得られるはずである。

次章から詳しく検証していきたい。

第2章

日清戦争は日本の「負け」

――眠れる獅子から得た賠償金の罠

日清戦争・豊島沖海戦の写真木版。朝日新聞の付録発行物より＝明治27（1894）年

（Ⅰ）小さな国の大いなる船出

山縣有朋の「利益線」演説

日本の対外戦争の勝ち負けについて具体的に見ていこう。まず俎上に載せるのは日清戦争だ。

日本では明治22（1889）年に大日本帝国憲法ができ、翌23年に議会政治が始まる。その前に太政官制度から内閣制度に変わり、明治18年に初代の伊藤博文内閣ができている。さらに、それ以前の明治5年に兵部省が改組されて陸軍省と海軍省が発足している。明治6年には徴兵令も発布されている。この時より日本は士族軍から国民軍に変わったと言える。つまり、日本は政治よりも軍事が先行して近代化・民主化した。

明治7年の台湾出兵（台湾に漂着した宮古島民54人が少数民族に殺害されたことを理由に、陸軍が約3600人の征伐部隊を派遣。これを機に、琉球は清国ではなく日本に帰属することが国際的に認められた）や、明治10年の西南戦争（西郷隆盛を盟主に九州で起こった3万人規模の士族反乱。政府は約6万人の征伐軍で鎮圧。日本最後の内戦と言われる）は、新たな軍事体制のもとで行われた。

さて、明治23年の第一回帝国議会。第三代総理大臣の山縣有朋が、西洋列強に倣う帝国主義の国づくりという国家の意志を明確に示す施政方針演説をする。

「國家獨立自營の道に二途あり、第一に主權線を守護すること、第二には利益線を保護することである、其の主權線とは國の疆域(きょういき)を謂(い)ひ、利益線とは其の主權線の安危に、密着の關係ある區域を申したのである、凡(およそ)國として主權線、及(および)利益線を保たぬ國は御座りませぬ、方今列國の間に介立して一國の獨立を維持するには、獨(ひとり)主權線を守禦するのみにては、決して十分とは申されませぬ、必ず亦(また)利益線を保護致さなくてはならぬこと、存じます」

山縣が言う主権線とは国境のこと。北海道、本州、四国、九州、沖縄を結ぶ国家主権が及ぶ範囲だ。その主権線を守るためには、その外側、日本の安寧に関わる範囲である利益線を守ることが不可欠だ。これが日本の国防・外交方針だと山縣は強調した。そこには利益線という言葉が表す通り、西洋列強＝先進帝国主義国と同様の経済利益優先の帝国主義的発想があった。

山縣の言う利益線は朝鮮半島のほか、東南アジアの一部を含んでいた。その広大な利益線を守るためには、陸海の軍備を拡張しなければならない（「即予算に掲けたるやうに、巨大の金額を割いて、陸海軍の經費に充つるも、亦此の趣意に外ならぬ」）と、軍事予算の大幅な増額について議会に説明した。

この山縣の演説で、日本は内外に帝国主義の国づくりを宣言した。それは同時に、安心できる空間を獲得するために、経済的利益を獲得するために、支配を広げるために、日本は戦争を起こすぞという宣言でもあった。

初めての帝国主義戦争

第1章で述べたように、19世紀終わりの西洋列強にとって戦争は、経済的に自分たちの国を豊かにするための一つの手段になっていた。つまり、戦争には原価計算が不可欠で、経済的利益がきちんと整理されていない戦争はしない。そういう知恵を備えていた。

これは大航海時代以降、植民地や戦争相手の富（領土を含む）を収奪することによって資本主義が発達し、市民社会化が進んだことが大きく影響している。市民社会化が進んだ国では、単に生存手段や支配欲を満たすだけでは国民は戦争を支持しない。必ず外部の富を収奪して国民に還元する必要がある。要するに、自国を豊かにすることが戦争に勝つということになっていた。

日本はそのような国づくりを追いかけた。先進帝国主義国に倣って国際社会に出ていく以上、日本はそれらの国々が持っている戦争観、つまり原価計算をきちんとして戦う軍事の構えを必然的に受け入れることになる。

自分たちはこれだけの武力で、相手がこれだけの武力だから戦闘に勝てる。終戦までこれだけの政治・財政的なコストがかかる。最終的にはこれだけの経済的利益があるといった、総合的な原価計算から開戦の結論を導き出す。これが、日本が目指した先進帝国主義国の戦争観だ。

日清戦争（1894〜1895年）まで日本はそのような形で戦争をしたことがなかった。それを初めて体験したのが日清戦争だった。日清戦争を経ることによって日本は、帝国主義戦争とはどういうものか、戦争に勝つとはどういうことか、戦争に負けるとはどういうことかについて、ようやく実体験として学んだと言える。

ただし、対外戦争の長い歴史的経験の中でそのような戦争観を築いてきた西洋列強と、すでに出来上がっている軍事の構えを学んだ日本では、相当な認識のずれがあった。このずれを日本は第二次世界大戦の敗戦まで克服することができなかったのだ。

戦争を点検する三つのポイント

過去のある戦争について評価する場合には、どうして戦争になったのか、どういう戦いをしたのか、どのように戦争が収まったのかという三つのポイントを点検する必要がある。

この三つを見ると日清戦争は、その後の日露戦争、満州事変、日中戦争、太平洋戦争と比べて最も「うまくいった」ケースであった。日清戦争は模範的な帝国主義戦争と言われるほどだった。日清戦争が失敗していたら、日露戦争もどうなったかわからない。日清戦争は日本にとって戦争の格好の先例になった。つまり、日清戦争の戦争観が日本の戦争観になった。しかし、それが日本の失敗に繋がっているのではないか。同時代を含め、今日まで続く歴史の中に日清戦争を置き直すと、そういう論点が見えてくる。

さて、日清戦争の始まりのプロセス、戦闘のプロセス、終結のプロセスを改めて点検すると、一言で言えば、日本は非常にラッキーだったことがわかる。

日清戦争は、朝鮮に対してどちらが支配権を確立するかの争いだった。

当時の朝鮮は、清国を宗主国とする属国のような王朝（李氏朝鮮）だった。ただし、朝鮮の中には反清・独立の政治勢力があり、「清国と手を切れ」と言っていた日本と手を結ぼうとした。経済的困窮や排外主義、近代化要求から王朝・政府を打倒しようとする内乱も頻発していた。

朝鮮の農民・庶民による東学党の乱（1894～1895年）が激化すると、朝鮮政府は清国に援軍を求めた。この清国軍の派兵に対して、日本は邦人保護を理由に朝鮮に軍隊を派遣する。これには朝鮮の独立を支援する面もあった。

朝鮮政府は、自国の中で清国軍と日本軍がにらみ合う状況を解消しようと、反乱勢力と話をつけて事態を沈静化させ、日清両軍に撤兵を求めた。朝鮮政府は、清国がいわば宗主国である以上、日本が撤兵したあとに清国が撤兵する形にしたかった。しかし、清国は撤兵する気がなかったし、日本は清国から独立した朝鮮と新たな関係を作っていこうと考えていた。

日本も清国も朝鮮の内政に干渉し続けようとした。だから清国は「日本が撤兵しろ」、日本は「清国が撤兵しろ」と両者が譲らない。この撤兵をめぐる争いが戦争に発展した。日本の主張にはかなり無理があったが、清国も同じような無理を言っていた。朝鮮にしたら、どちらも朝鮮自身の国家主権をないがしろにする無理筋の話と言える。

開戦理由、建前と本音

日清戦争の始め方はどうだったか。当時の日本には二つの開戦理由があった。邦人保護は単なる建前に過ぎない。

理由の一つは、朝鮮は清国と手を切って独立・近代化すべきだ、それを日本が助けるために戦うというもの。清国はもちろん、朝鮮の支配権力はこれを徹底的に拒否していたが、日本には、朝鮮の中に理解する人たちが出るようなきちんとした言い方で主張し、朝鮮の独立・近代化派を支援する政治勢力もあった。たとえば、福沢諭吉や井上薫はそのリーダー金玉均（1894年、朝鮮王朝の権力者・閔妃の命により上海で暗殺）を支援した。

もう一つは、山縣有朋が言う「利益線を確保する」形で朝鮮を押さえるために戦うというもの。これは明治初期の「征韓論」を引きずっている。征韓論は朝鮮の外交的非礼をきっかけに高まるが、その背景には、武士階級が崩壊していく中で、士族に何か仕事をさせなければいけない、カネをやらなければいけない事情があった。西南戦争後の明治11年には「竹橋騒動」もあった。薩長の下級武士で作られた近衛砲兵隊が、せっかく西郷軍と戦って勝ったのに何の見返りもないと暴動を起こして、約360人が処罰された。明治政府は財政的に豊かではなく、兵隊に満足なカネを配ることができない。だから謀略を使ってでも戦争を起こし、朝鮮を支配してカネを稼ごうとする。たとえば三国干渉の後になるが、日本は在朝鮮国特命全権公使の三浦梧楼（山縣と同じ長州出身）の

日清戦争・黄海海戦。激戦中の日本海軍の艦船。遠くに清国の艦隊が見える＝明治27（1894）年

指示で、王宮侵入事件を起こし、ロシアに急接近する閔妃を殺害した。

日本は結局、二つ目の利益線の確保という理由によって日清戦争を始めた。

日清戦争の頃の清国は、イギリスと戦ったアヘン戦争（1840〜1842年）と、イギリス・フランス連合軍と戦ったアロー戦争（1856〜1860年）を経て、上海や天津にイギリスやフランスの租界地があるなど、局部的に西洋列強の植民地支配を受けていた。

また、国内では王朝打倒の革命を志す孫文たちによる不穏な動きが広がっていた。つまり、清国の国力は著しく弱まっていた。日本は、清国がもう朝鮮を支配できないと見て朝鮮に入っていったのだ。

日本は開戦前にイギリスに対して、もし日本が清国と戦うことになったらイギリスはどちら側も支援しないという外交的な確認を取っている。実際にイギリスは日清戦争中、ある意味見ているだけだった。日本と清国だけで戦うことを企図し、結果的にその通りになる。この点、日本はなかなか巧みでもあった。

戦国時代さながらの白兵戦

二つ目のポイント、日清戦争における日本の戦い方はどうだったか。

日本の軍事にとって、明治6年に徴兵制を敷いて初めてとなる外国軍との戦闘だった。対する清国の軍事には、1616年に満州族が建国して以来だから300年ほどの蓄積があった。清国軍はそれなりの力を持っているはずだが、当時は腐敗の極に達していて自己崩壊に近いような状態だった。

そんな清国軍に比べて、日本軍の士気ははるかに高かった。近代日本初の本格的な対外戦争ということもあり、それは山縣たちの想定以上のものだった。

ただし、日本軍の戦い方で西洋の軍隊と大きく違う面もあった。たとえば、徴兵制で集められたのは農民がほとんどだった。そういう兵隊が釜山に上陸し、ソウルを目指して進軍していく。当然、行軍中には何度か「休め」の声がかかる。その度に日本兵は目の前の畑に入っていって農作業を手伝った。それでキャベツなんかをもらってくる。しかも代金として一応、軍票も渡した。同じ農民だから苦労がわかる。初期の日本軍には、西洋の軍隊には見られないそんな「美点」があった。

また、川を渡って進軍していくのだが、橋が架かっていない場所もある。そういう時には工兵隊の出番。まだ戦車のない時代だから兵隊たちが渡る簡素なものでよかったとはいえ、日本軍の工兵隊は一晩で橋を架けた。じつは工兵隊員のほとんどが大工さんだった。だから一晩ではしごのようなものを作って、人がそれを支えてどんどん渡っていく。その様子を見た清国の兵隊は驚いて、さっさと逃げ出した。

日本軍は、西洋の軍隊では当たり前のことを日清戦争を通じて少しずつ学んでいったとも言えるだろう。たとえば行軍中、ロイター通信の記者が従軍記を書くために訪ねてきた。日本兵に「何人殺した?」と聞くと、彼らは正直だから「この刀で3人殺した」などと武勲のつもりで話をする。

ロイターの記事だから世界に配信される。そこには日本兵のことを「釜山から上陸してきた猿」と書いていたものもあった。当時の日本人男子の平均身長は160センチ足らず。その小さな猿が朝鮮の農民から食料を収奪したり、朝鮮の人たちを殺害したりしている。ロイターはそんなふうに日本軍の行動を報道した。

それを見た上層部が慌てて「兵隊は取材に答えるな」と命じる。取材は全て広島の大本営、あるいは部隊の司令官が応じることになった。こういう軍事として当たり前の情報管理も、日清戦争で学んだことだった。

私は日清戦争に従軍した兵隊の話を直接聞いたことがある。昭和50年頃、3人に取材したが、もう100歳を超えていた。話してくれたのは、戦国時代さながらの刀で斬り合う白兵戦の様子だった。

「なんだそりゃ」と拍子抜けした話もあった。清国軍の大砲からバレーボールみたいな鉄球が飛んでくる。日本兵は慌てて逃げる。どんと落ちて大爆発するはずなのに、落ちてもコロコロと転がるだけで全然爆発しない。度胸のある奴が鉄球をバラバラにしてみた。そうしたら火薬ではなく砂が入っていた。清国軍はヨーロッパの武器商人に騙されてそんなものを買わされていた。

それがわかってから何も怖くなくなったそうだ。鉄球の直撃だけに気をつけて、徹底的に進軍して刀を振り回した。清国軍の兵隊はみんな逃げていった。そんな話だった。

このような戦闘で、日本軍は戦死1万3309人（うち病死1万1894人）、清国軍は死傷3万5000人と言われる犠牲者を出した。

軍隊が賠償金獲得のための事業体になった

三つ目のポイント、日清戦争の終わり方はどうだったか。

戦闘において清国軍を圧倒し、ソウルを押さえて平壌にまで達した。清国がもう戦争はやめようと言い出す。そこで首相の伊藤博文が下関に清国の欽差大臣（全権大使）の李鴻章を呼び付けて、停戦交渉に入る。

結局、日清講和条約（下関条約）が結ばれた。日本は約2億3200万円（国家予算の約3倍）もの戦費を使ったが、戦勝国として、大きな三つの戦果を獲得する。

一つ目は賠償金2億両（テール）（約3億1100万円）。当時の日本の国家予算の約4倍にあたる大金だ。

二つ目は遼東半島、台湾、澎湖諸島という清国領土の割譲。

三つ目は朝鮮の独立。これは、撤退する清国に代わって日本が朝鮮に入ることを意味していた。

下関の停戦交渉で、伊藤博文が出したこうした要求に李鴻章は抵抗する。伊藤は窓の外の港を眺めながら李を脅した。

「まだ戦争を続ける気なのか。それなら我々の海軍と陸軍は徹底的に貴国の軍を壊滅させる」と。清国の国力は相当弱っていた。戦争の続行は無理と考えた李は要求を受け入れ、帰国後に国賊扱いされる。

その後、ロシアが主導する三国干渉で遼東半島を返還（見返りとして賠償金3000万両を追加）したとはいえ、近代日本は最初の対外戦争において大きな国益を獲得したことに間違いはない。しかし日本はこの勝ちによって、結果的に戦争に対して「悪い癖」がついた。

戦争に勝てば賠償金を取れる、領土を取れる。つまり、戦争は国家に大きな利益をもたらす事業だと考えるようになった。

不意の砲聲

清国の講和使節団一行。神戸から広島に向かうところ。円内はオブザーバー役の米国人フォスター。写真を元に木版画化＝明治28（1895）年。

事業だから会社経営と同じような発想になる。物を生産する会社だったら、資本を投下して製品を売って利益を得る。利益を拡大するためにさらに資本を集め、利益も再投資して生産設備などをどんどん作っていく。事業に成功すれば際限なく利益が拡大するからだ。

戦争もこれと同じ。日本は国を豊かにするために資本を軍事に投下するようになった。利益として一番わかりやすいのは賠償金だ。つまり日清戦争に勝ったことによって、日本は軍隊を賠償金獲得のための事業体と考える癖がついてしまった。

上司が部下に「契約を取るまで帰って来

るな」と言い、24時間営業を続けるセールスマン集団と同じように、軍指導者は勝つまで戦争を続けようとした。だから適当なところで停戦することができなくなる。挙げ句の果てが太平洋戦争の無条件降伏。これが日本に軍事哲学がないと私が考える大きな理由だ。

中国の罠にはまった日本

日清戦争後の中国国内の動きを見ると、この戦争は「中国の罠にはまった」と言うこともできる。

日清戦争によって清王朝の力はさらに弱まり、その打倒を訴えていた孫文たち、あるいは康有為（こうゆうい）のような官僚の中にいる近代化派を決起させる。これが程なく1911年の辛亥革命に結実する。

日清戦争後、中国の留学生が日本に大挙して押し寄せた。明治維新という近代革命に成功した国に学ぼうと、明治38（1905）年頃には8000人ほども日本に留学していたとされる。東京では、弁髪で中国服を着た若者が街なかを歩いていると、その後を子どもたちが「ちゃんころ、ちゃんころ」と侮蔑語を口にし、冷やかしながらついていく。珍しくもない光景だったという。

嫌になってすぐ帰った人もいたし、日本からヨーロッパへ渡った人もいたが、日本に滞在する中国人は主に二つのパターンに分かれた。一つは日本に共鳴して、日本人のように生活するパターン。作家・思想家の魯迅にもそういう面があった。

もう一つは、孫文たちのように、日本を革命の拠点として利用するパターン。たとえば、日本で「中国同盟会」といった秘密結社を作る。

孫文はずっと清国政府に追われていた。日本政府は清王朝と関係をよくしようとする時は、孫文を追いかけ回して逮捕しようとする。清王朝と少し険悪になると孫文を自由にさせる。いわば極めてずるいやり方をした。そんな中で孫文は、大アジア主義者の頭山満（とうやまみつる）や犬養毅などの支援を受け、日本の中で革命の準備を進めていく。

孫文の考え方は、「革命の反乱は何回やってもいい、最後の１回で成功すればいい、１００回失敗しても１０１回目に成功すればいい」というものだ。実際に孫文が中国にいない間も、清国政府や軍部の中にいる同志たちが何度も決起した。

そして辛亥革命。1911年10月に武昌と漢陽を武力制圧した革命軍が、中華民国軍政府を樹立して成功する。これは、孫文一派が1895年に広州で起こして清王朝に鎮圧された最初の武装蜂起から数えて10回目の反乱だったと言われる。

日本ではこういう生粋の革命家である孫文を、命をかけてでも全財産を使ってでも支援する人たちが増えていく。大陸浪人の宮崎滔天や山田良政・純三郎兄弟、後に日活映画を創業する梅谷庄吉などが有名だろう。

もちろん孫文は、単に清王朝を打倒するだけではなく、中国の富を計算していた。たとえば、革命の資金を作るために「満州を買わないか」と「二六新報」の創業者の秋山定輔などに持ちかけている。満州は当時の中国人にとってどうでもいい土地で、開発する力もないから売ってしまおうと考えていたのだ。

こうした意味では、孫文は日本のカネと人脈を散々利用したと言える。革命に成功した後、孫文は何人かの日本人を優遇するけれども、日本国家に対する目は決して甘いものではなかった。

いずれにしろ日清戦争での清王朝の負けが、孫文たちの革命運動を広める推進力になったことは間違いない。中国という大きな枠で捉えれば、日本の勝ちを利用した「罠」と呼んでも言い過ぎではないはずだ。

日露戦争の「負け」の伏線

今も中国の人たちは、アジアで最初の共和革命は辛亥革命だと自慢している。牽強付会ではないかと感じるけれども、中国の側から見れば、日清戦争に負けたおかげで、そんな素晴らしい辛亥革命に成功したのだから、日清戦争は清国の勝ちだったと言うこともできるのではないか。

それに対して日本は、繰り返しになるが日清戦争に勝ったおかげで、戦争を儲かるものと考えるようになった。じつはこれがその後の日本の負けの伏線と言える。

10年後の日露戦争も賠償金獲得が目当ての一つだった。日本政府は戦費調達のために次々と増税の特別立法を成立させるが、国会での説得文句は「戦争に勝ったら賠償金が取れる」というものだった。

また、先に紹介した中国人留学生を馬鹿にする光景も負けの伏線に見える。日本社会はそういう増上慢から第二次大戦の敗戦まで抜け切れなかった。その端緒が日清戦争なのだから、やはり負けの戦争と言えるのではないか。

日清戦争の戦場になった朝鮮について、少しだけ付け加えておく。自国の権益をめぐって日本と清国が戦争になった。これは誤解を恐れずに言えば、主体性なき国家の一つの姿である。

当時の朝鮮には清国につくか、日本につくか、ロシアにつくかと、いくつかの考えがあった。ただ本来であれば、国家としてまとまって「私たちの土地でなぜ戦争をするんだ、私たちの生活が犠牲になっているじゃないか、ふざけるな」と、文句を言って追い出していいはずだ。

しかし、朝鮮にはそれだけの国力がなかった。だから戦場と化してしまった。朝鮮半島の人に聞いたことがある。「朝鮮の農民はそれほど死んでいない。戦闘は一般人のいる場所ではあまり行われなかった」と。たとえそうだとしても、日清戦争後に独立の動きが実を結ばなかったことからもわかるように、こうした主体性の弱さが日本による支配を許すなど、その後の朝鮮の国づくりに影響することになる。

（Ⅱ）日本が体験した「第1の戦間期」――増長と差別の始まり

軍事哲学なき場当たり的対処

日清戦争の10年後、日本は日露戦争（1904～1905年）を起こす。その10年後が第一次世界大戦（1914～1918年）だ。日本は第一次大戦では連合国陣営に入って、ドイツに宣戦布告。要請はあったもののヨーロッパ戦線にはほとんど参戦せず、中国の青島（チンタオ）や南洋諸島などに派兵した。そして1931年に満州事変を起こす（柳条湖事件）。

日清戦争と日露戦争の間の10年が日本にとっての「第1の戦間期」だった。日本はこの時期、多額の賠償金を得たこともあって軍備拡充に走り出す。大勢の軍エリートをヨーロッパに留学させたりもした。主な目的は三国干渉で受けた屈辱を晴らすためと言っていい。

日露戦争から第一次大戦の間の10年が「第2の戦間期」。世界的な軍縮ムードが起こり、日本では「大正デモクラシー」の前段階の時期を迎える。最も軍部が冷や飯を食わされた時期だった。また、社会主義運動の活発化を受けて、幸徳秋水ら12人が死刑になった大逆事件（1910〜1911年）など、極端な取り締まり強化が行われた。つまり、世の中は軍事ではなく政治が主流だった。その不満が満州事変に繋がっていく。

いずれにしろ次から次に戦争をする中、日本の軍事は様々な問題を現実の戦闘の中で解決しようとした。つまり、実際に戦争してみてここを直す、あそこを直すといった場当たり的対処の連続だ。だから戦争に対する深い考え方、軍事哲学を育む戦争の本質的な理解や反省が十分に行われないまま、ほとんど前例踏襲で戦争を繰り返すことになった。

たとえば、兵隊たちには「我々は天皇の軍隊だ」と教育する。しかし、エリート候補の陸軍大学校の生徒たちは「天皇の軍隊と言って戦争に勝つならこんな楽なことはない」と平気で話していた。つまり、「天皇の軍隊」は兵隊を動かすための一つの言い方、建前に過ぎないとわかっていた。それで「我々の軍隊なんだ」とうそぶいていた。そんな話を陸大出身の人から聞いたことがある。

軍のエリートたちが「天皇の軍隊」という教育を馬鹿にして「我々の軍隊」と考えていたことも、日本に軍事哲学がなかったことをよく示している。

単純な日本を利用した狡猾な西洋列強

19世紀の終わり、日本は近代化の出発点で日清戦争を選択した。それに勝つことによって世界の一等国に追いつこうとした。

世界史的な流れで言えば、まだ帝国主義的な時代だが、先に述べたように「原価計算」がかなりシビアになっていた。

それまで西洋列強は、資源があるアジアやアフリカなどの弱い国を徹底的に痛めつけて植民地化し、自分たちの富を拡大していた。そこには現地の人たちを人間とも思わずに殺したり弾圧したりする、帝国主義の極めて残酷な姿があった。

ただし、西欧帝国主義の植民地支配には法則がある。最初は言うことを聞かない連中は全部殺す。そうやって自分たちの支配の体制を持ち込む。しかし何年か経つと、武力支配に文化的要素を加える。つまり、植民地の人たちを人間扱いするようになる。たとえば、植民地の優秀な若者を自国へ留学させるなどして、支配の側に組み込む。そういう狡猾な支配の仕方に変わっていく。

19世紀の終わりの先進帝国主義国の原価計算は、そのようなレベルに達していた。彼らは何もわからない地域へ勝手に軍を送って、むちゃくちゃに弾圧して根こそぎ資源を奪うといった大航海時代のようなことは、もうやらなくなっていた。

だから西洋列強は、たとえば中国に対して深入りしなかった。権益の獲得や植民地化を狙っていたけれども、中国の歴史や国力を考えて「眠れる獅子」と判断し、大がかりな戦争を仕掛けて支配しても原価計算が合わないと判断していた。

アヘン戦争・アロー戦争で清国に勝ったイギリスとフランスでさえ、全面的に支配しようとせず、局地的に拠点をつくり、中国の資源や富を部分的に吸収していた。

そんな中で、日本は清国と戦って勝った。西洋列強はそれを見て、こんな開国したばかりの弱小国家に負けてしまうほど清国はガタガタなんだ、そのうえ巨額の賠償金を取られるのだからもうダメだ、今が支配するチャンスだと、原価計算を修正する。

西洋列強は日清戦争後、三国干渉を経て雪崩を打ったように中国へ入っていく。ドイツは山東半島の膠州湾、ロシアは遼東半島の旅順や大連、イギリスは九龍半島と威海衛、フランスは広州湾といった具合に分割支配する。これが大航海時代以来、長い帝国主義の政治・経済・軍事的蓄えを持っている先進帝国主義国の巧妙さ、狡猾さだ。日清戦争で日本が負けていたら、先進帝国主義国は「やはり清国は強い」と判断して、そう簡単には中国に手を出さなかったはずだ。

こうした西洋列強の動きを見ると、日清戦争で日本が勝ったと単純に言えなくなる。むしろ日本は西洋列強に利用されていた。そう言ったほうがふさわしいのではないか。

後で詳しく述べるが、日露戦争も「西洋列強に利用されていた」と言える。大国のロシアとは、どの先進帝国主義国も直接戦争する気はなかった。ロシアの南下政策、つまり東アジアやイラン方面への進出やヨーロッパにおけるロシアの膨張をどのように抑えるか。その課題に対して、たとえばイギリスやフランスは軍事の戦いだけではなく、ロシアをいかにコントロールするか、外交上の頭脳戦や経済上の市場競争に腐心していたのだ。

燃え上がるロシアへの復讐心

日清戦争とは何だったのか。改めて答えれば、弱いと見たらハイエナのようにその国に寄っていき、ずたずたに嚙みちぎっていく帝国主義の現実を日本が初めて体験した戦争だったと言える。

日清戦争後、すでに触れたように日本への三国干渉があった。ロシア・フランス・ドイツから「過度の権益拡大だ」などと圧力をかけられ、下関条約で獲得した遼東半島を泣く泣く手放す。その遼東半島にロシアが入っていって、清国を経済的に支援した。

たとえば、ロシアは清国から敷設権を得て鉄道を作る。これはシベリア鉄道を南下させる短絡線（東清鉄道。満州里―ハルビン―綏芬河（すいふんが）が本線、ハルビン―長春―大連が支線）だ。ロシアは1891年からシベリア鉄道の建設を始めている。モスクワから東端のウラジオストクまで、約9300キロを1本の鉄路で結ぶことはロシアの悲願だった。そのシベリア鉄道を利用して中国における権益を確保した。

つまり、日本が日清戦争に勝ったにもかかわらず、現実にはロシアの権益が拡大する形になった。

フランスもそうだ。フランスは南の広州湾に海軍を置いて支配の空間を作っていく。ドイツは、西洋列強としてはロシアやフランスより新興国だが、1897年にドイツ人宣教師が中国人に殺された事件を理由に山東半島に入っていく。それで膠州湾を99年にわたって借りる租借権や鉱山の採掘権を獲得する。

三国干渉の国以外にも、イギリスは九龍半島などに加えてビルマから繋がる雲南のほうにも権益地域を確保した。米西戦争でフィリピンやグアムなどを手に入れたばかりの最新興国アメリカも、1899〜1900年に中国に乗り出してくる。

ただしアメリカは、先行する西洋列強のようにどこかの地域を押さえるのではなく、清国に対して門戸解放、通商の機会均等、領土の保全を求め、その旨をフランス、ドイツ、イギリス、日本、ロシア、イタリアに文書で通知した。

つまり、それぞれの国が中国を押さえたからといって他の国に開放しないのはおかしい、今以上に支配を拡大するのはおかしいと規定する外交理念を持ち込み、各国の了承を取り付けた。これは自分もこの縄張り争いに加わるぞというアメリカの宣言であり、新しい形の帝国主義の登場だった。

こうした帝国主義の現実を目の当たりにした日本は、どうやって自分たちの権益を拡大していくかを考えるようになる。特に三国干渉で失った遼東半島では、いわばロシア化が進んでいた。当時流行（はや）った「臥薪嘗胆（がしんしょうたん）」という言葉は、まさにロシアへの復讐心を忘れるなと国民感情を煽るスローガンでもあった。

日本にとって日清戦争後は、いわば初めての「戦後」だった。そこで先進帝国主義国に倣う国家像をより鮮明にする。そして「戦争で失ったものは戦争で取り返す」戦間期の思想も持つようになった。これが日本の第1の戦間期の大きな特徴である。

「同胞意識の大アジア主義」なら歴史は変わった

中国では日清戦争後、ナショナリズムが高まった。排外主義運動が活発化して、1900年には「義和団の乱」が起こる。宗教団体のような秘密結社が西洋列強とキリスト教の排撃、つまり「我々の国家を侵略から守るのだ」と北京に乗り込み、各国公使館を包囲しドイツ公使を殺害するなどした。この行動を清王朝の女性権力者・西太后が支持し、清国政府は西洋列強に宣戦布告をする。

結局、日本・イギリス・アメリカ・ロシア・フランス・イタリア・ドイツ・オーストリアの8カ国が共同出兵して、義和団や清国軍を徹底的に抑え込む。西太后が西安に逃れるなど、清国政府は風前の灯火(ともしび)となり、西洋列強による分割支配が強化された。日本はその中で満州において部分的に権益を確保するが、ロシアも満州の占領を進めていく。これが日露戦争の火種になる。

また、日本社会では中国に対する侮蔑感がさらに高まっていく。日本は長く中国の歴史・文化・学問に対して憧憬を持ち、受け入れてきた。しかし、日清戦争に続く義和団の乱での勝利によって、「中国は劣等だ、日本は優等だ」という思いを日本人が一般的に抱くようになった。

先に述べたように、当時日本には中国人留学生が大勢いた。せっかく日本の近代化に学ぼうとやってきた彼らだが、そういう侮蔑感には当然ながら耐えられない。だから失望するし、むしろ「反日」になって帰国するケースが少なくなかった。たとえば1917年に日本に留学した周恩来(のち中華人民共和国初代首相)も、結局フランスへ行って本格的に勉強している。

ただ一方で、前述のように孫文の革命を支援する日本人が多くいた。そこに侮蔑感はなく、あったのは同胞意識に基づく義憤や敬意だ。日清戦争の大義名分は朝鮮の独立であり、だからこそ支持した政治家や知識人、活動家たちがいた。つまり戦後、中国を西洋列強から解放する「理念」を持つこともできた。もし日本がそれを国策として選んでいたら、日本史だけでなく世界史も変わっていたのではないか。

しかし日本は、先進帝国主義国の持っている植民地に対する侮蔑感に倣ってしまった。そういういわば社会的感情が、日清戦争から日中戦争にまで行き着く。日中戦争で陸軍が掲げた「暴支膺懲（ぼうしようちょう）」（横暴な中国を懲らしめる）というスローガンと、それに呼応した国民の姿は象徴的だ。

生意気だからやっつけろといった「論理」で戦争をやる国は馬鹿に違いない。でなければ、あまりに幼い。西洋列強に倣うと言いながら、いったい何を倣ったのか。先進帝国主義的な原価計算もまるでない。残念ながら日本はそういう方向へ行ってしまった。

第1の戦間期に日本が中国のナショナリズムを傷つけず、同胞意識の大アジア主義で中国を助けていれば違った歴史になったはずだ。日本には「中国や朝鮮、インドなどと連帯しなければいけない」と唱える大アジア主義の思想家は多くいた。

しかし、アジアを超えてヨーロッパ化しようとする明治・大正・昭和の流れの中で、大アジア主義は日本主義や皇道主義と結び付き、日本がアジアを支配するといういわゆる右翼思想になっていく。太平洋戦争の大義名分の「アジアの解放」は、このいわば間違った大アジア主義に基づくもので、同胞意識の大アジア主義とは大きく異なる。

同胞意識の大アジア主義が政策に実らなかったのは、やはり日本の大きな欠落点だろう。

軍備の近代化

日本の第1の戦間期を西洋列強はどう見ていたか。

先に「日清戦争で西洋列強は日本を利用した」と述べた。もっと平たく言えば、こんな感じだ。「あの暴れん坊がどうなるか見ていようじゃないか。おっ、なかなかやるな。じゃあ、仲間にちょっと入れてやろうか」

その西洋列強に対して、日本は「お前らの仲間には入らないよ。俺は今までお前たちが痛めつけたアジアの人たちと連帯するぞ」という大アジア主義の構えを持てばよかった。しかし、西洋列強側の論理に組み込まれていった。

第1の戦間期、日本は巨額の賠償金の8割超を軍備の拡充に使った。日本は、明治維新からしばらくは欧米の武器商人を通じて武器を買う形だった。やがて日本の留学生がヨーロッパに行くことによって、機関銃や大砲などの軍備を学ぶようになり、それを見様見真似で作っていく。

国産最初の小銃が、明治13年にできた十三年式村田銃だ。ちなみに、日露戦争の頃に完成した三八式歩兵銃は太平洋戦争の終わりまで使われた。

要するに日清戦争は、まだ近代化していなかった日本軍と同じく近代化していない清国軍との戦いで、実際の戦闘は日本刀を振り回すような白兵戦だった。白兵戦で日本は圧勝したけれども、このままでは西洋列強に太刀打ちできないと、軍備増強、武器の近代化に走る。

清国軍はなぜ白兵戦に弱かったのか。それは戦える軍隊ではなかったからだ。当時、清国は満州民族数百万人がその何十倍もの漢民族を支配する王朝で、国家としての統一した意識が薄かった。国力も衰退していてほとんど崩壊状態にあった。つまり、清国軍は「張り子の虎」だった。

清国政府の拠点の北京では王朝の威厳が保たれていた。納税や徴兵の義務が果たされ、いろいろな法律も守られていた。しかし、地方ではそのような国家としての成立条件が崩壊していた。

だから西洋列強は日清戦争後、北京なんかどうでもいいと考えたし、資源獲得や交易に有利な地方を容易に押さえることができた。

人間の近代化

日本は第1の戦間期に巨額の賠償金を軍備の近代化だけでなく、人間の近代化にも使った。それはとりも直さず海外留学。明治30年代になると、日本人のヨーロッパやアメリカへの留学は飛躍的に伸びる。軍も意図的に何人もドイツへ送り出したりした。つまり、人間の欧米化だ。

東京帝国大学も学者を何人も留学させた。特にドイツへの留学が多く、ドイツ型の学問が日本に入ってきて、帝国大学での主流になる。

ドイツ語が学問の中心になり、ドイツ型の講座制も導入された。一つの講座に教授―助教授という縦のラインがある講座制のもとで学問、研究が行われるようになった。つまり、自由な討論は乏しく、教授を頂点とする一つの支配体制のもとで、学問が継承されていく。そのため日本の大学では、研究の内容を高めていくよりも論文を多く書くことが出世の道具になっていく。

それと同時に第1の戦間期には、帝国大学のような国家的な学問とは別に、フランス革命や人権宣言に影響を受けた人間的な学問、つまり、人権思想あるいは民主主義に関心を持つ中江兆民のような知識人がたくさん出てくる。

一方で、信教の自由が保障されるようになり、キリスト教的博愛主義への関心が高まる。札幌農学校（のち北海道大学）でクラーク博士の影響を受け、キリスト教に改宗した内村鑑三がその代表だろう。

内村は日清戦争の時には、「我々は清国が朝鮮を傀儡(かいらい)国家にしているのを打破するために、朝鮮のために戦っている。だから正義の戦争なんだ」などと言って戦争を肯定した。しかし、日露戦争前には非戦論に転じている。キリスト教的博愛主義に基づいて「戦争は人間を殺すものだからやはりよくない」と明確に言うようになった。

もちろん、キリスト教的博愛主義は普遍的なものではない。もし普遍的なら、欧米のキリスト教の国家が戦争をするわけがない。ただ内村鑑三などは、キリスト教の中にあるそういうある種の純粋さを原理主義的に受け止めた。内村は反戦の一方で徴兵拒否に反対したが、これも「他者の罪をあえて引き受ける」というキリスト教的態度の現れだ。

つまり、日本のキリスト教系の知識人は、キリスト教の信仰と国家の政策とは別だとは考えず、キリスト教が持っている純粋さを国家の純粋さにも同化させていく。これは、キリスト教の信者に限らず、当時の知識人に通じるある種の生真面目さだった。

日英同盟――日本を使ってロシアを阻止する

日本は第1の戦間期に軍備の近代化と人間の近代化を図り、社会の各層で様々な変化が起こってくる。そんな中で、ロシアが満州の権益をめぐって着々と南下政策を進めていた。つまり、同じく満州での権益を拡大したい日本が、ロシアの持っている権益に対抗する形になっていく。清国政府は日本の側についたりロシアの側についたりするが、結局は戦争が避けられない状態になる。

ロシアの南下政策はそれ以前から長年ヨーロッパでも行われていた。直接の狙いはオスマン帝国だが、常にイギリスやフランス、ドイツなどの列強はロシアを警戒している。当然ながら、満州をほとんど属領扱いにするようなロシアの動きも注視していた。

特にアヘン戦争以来、中国の権益を持っているイギリスは、満州におけるロシアの南下政策に対して神経質になっていた。当時のイギリスはかなり力が弱まっているとはいえ、七つの海を支配した帝国主義の親分みたいなものだ。アジアに支配権を広げようと、マレー半島に入り、中国に入っていた。

そこでイギリスは日本と手を結ぶ。明治35（1902）年の日英同盟だ。イギリスはアジアでのロシアの膨張阻止は日本に任せる形を取った。

中国の権益は当時、世界の先進帝国主義国にとって大きなテーマだった。満州は資源の宝庫だが、ほとんど国家的な統治が行き渡っていない。ロシアがその富を独り占めしようとしている。それを防ぐための日英同盟だった。

そして日英同盟の2年後、明治37年に日露戦争が始まる。近代化途上の日本が軍事大国ロシアに挑む戦争は、イギリスの支援を得て行われた。そう言えば聞こえはいいが、イギリスに利用された戦争と言ったほうが正確だろう。こうして日本の第1の戦間期は終わりを迎える。

第3章

日露戦争は敗北

——ロシアから強いられた臥薪嘗胆

「皇国の興廃この一戦にあり」。日本海海戦で戦闘を開始する旗艦「三笠」

（I）静止画像に写っている戦闘

アメリカに「敗戦」を救われた

日露戦争は明治37（1904）年に始まって翌38年、アメリカを間に入れて和睦という形で終結する。日露講和条約（ポーツマス条約）が結ばれ、ロシアが満州や朝鮮から撤兵し、遼東半島の租借権や東清鉄道（旅順―長春の南満州支線）を日本に譲渡し、樺太の南部を日本に割譲することになった。日本を勝者とする内容に西洋列強だけでなく、世界中が驚いた。それは日清戦争をはるかに凌ぐ衝撃だった。

とりわけ西洋列強の植民地になっている国々を目覚めさせた。

「極東の小国があの軍事大国に勝った。アジアがほとんど西洋列強の植民地になっている中で、宗主国の一つを倒した。俺たちにもできるんじゃないか」と。つまり、日露戦争及びポーツマス条約は、西洋列強に対する独立運動や抵抗運動を強く後押しした。

日露戦争の歴史を見る時、多くの人たちはこうした点を強調して日本の勝利を称賛する。私も全く称賛しないわけではない。けれども、日本は本当にロシアに勝ったと言えるのか。たとえば、ポーツマス条約にしても日本は全く賠償金を取れなかった。先に述べたように、日本にとって戦争の最大の目的は賠償金の獲得だった。その目的を達成できなかった以上、むしろ敗北ではないのか。

さて、改めて終結のプロセスを点検してみよう。

戦争末期、日本は戦闘を優位に進めていたものの、国力をほとんど使い果たして青息吐息だった。ロシアも世相混沌として君主制が崩壊の動きを示していた。それを見ていたアメリカが日本側からの求めもあって間に入り、和睦を結んだほうがいいと停戦を勧め、講和条約を結ばせるように誘導していく。そこで日露の講和交渉が始まる。

アメリカは米海軍の施設があるポーツマスに日露両国の代表を呼び、講和交渉の席に着かせる。この段階では日本のほうが軍事的には勝っていた。ただしその勝ちは、いわば映写機のフィルムをある時点で止めたから勝ちとスクリーンに映っているだけだ。

戦争がもっと長引いて、ロシア国内が一致団結し、戦闘力をフルに発揮して日本と対抗したら、ロシアの国力が弱まっていたとはいえ、日本はかなわなかったはずだ。

つまり、日露戦争は日本が勝ったとされているが、じつはアメリカが日本を助けてくれた戦争だった。日本もロシアも疲弊していたが、とりわけ日本は講和交渉の数カ月前からいわば限界点に達しながら戦っていた。日本は、日露戦争を痛み分けの形で終わらせようとしたアメリカに救われた。

日露戦争はロシア国内でロマノフ王朝の独裁に対する反感が高まり、革命勢力がかなり浸透してきて、ロシアの国力が疲弊している時に起こった。崩壊寸前の清王朝と戦った日清戦争と、状況は似ている。それでも西洋列強は原価計算を考えてロシアに直接手を出さなかった。これも日清戦争と似ている。

また、なぜアメリカは日本を助けたのか。一言で言えば、アジア進出の足掛かりにするためだ。先に述べた「新しい形の帝国主義」を実行したに過ぎないし、三国干渉の亜流に見える。

このように終結のプロセスを簡単に見直すだけでも、日露戦争は「本当は負けていた」と言えるのだ。

妥当性なき二百三高地の犠牲

開戦前夜の日英同盟にしろ終戦時のアメリカの仲介にしろ、日露戦争にも日清戦争と同じく、西洋列強の帝国主義の残酷さ、計算高さ、強い国家エゴを見ることができる。日本はそれに利用されながら、その一つと戦い、世界中の植民地にいわば勇気を与えた。しかし日本も結局、先進帝国主義国と同じように、残酷な国家エゴ丸出しの道を歩むことになる。

戦闘のプロセスも点検しておこう。戦場の勝利で有名なのは、地上戦では乃木希典（まれすけ）が率いた二百三高地の奪取（旅順攻囲戦）。海上戦では東郷平八郎が率いた連合艦隊の日本海海戦だろう。

しかし、日本軍の作戦行動が戦術上正しかったから勝てたとは言えない。特に二百三高地をめぐる争奪戦は、日本兵たちの実際の戦い方があまりに尋常ではなかったから勝てただけだった。

日本軍は旅順攻囲戦で約6万人もの死傷者を出し、二百三高地の奪取だけで約500

旅順攻防の要地となった二百三高地＝明治37（1904）年

0人の兵隊が死んでいった。当時でさえ、その犠牲の多さに乃木の指揮官としての能力が問われたほどだ。

二百三高地での日本軍の戦術は妥当性を持っていたのか。私は中国に行ってその山の上に立ったことがある。よく日本兵はここに上がって来たなと、ぞっとした。上から姿が丸見えで、返り討ちに遭うに決まっている。それでも突撃を繰り返して死んでいった。そんな戦術に妥当性はないし、犠牲になった日本兵の姿は悲惨そのものだ。

二百三高地の戦闘に限らず、日本軍は「とにかく勝てばいい、兵隊の命なんか知ったことか」としか見えない戦術を平気で用いる。海上戦でも、特定の艦船に集中砲火させた直後に反撃する囮作戦を決行したりした。

ロシア軍にとって、日本軍が人命を度外視して攻めてくることは想定外だった。つまり、無謀な作戦がロシア軍の士気を低下させた。それが日露戦争で日本軍が戦闘に勝てた大きな理由の一つだった。これを「裏読み」すると、軍事的に勝つためには、そんな常識外れの戦術を用いて相手を驚かせるしかなかったということだ。

ある局面の戦闘に勝つためには何をやってもいいのか。今日のウクライナ戦争にも通じる大事な問いであり、歴史的視点から戦争の勝ち負けを考えるうえで重要なポイントである。

「武士道」の喪失

なぜ日本軍は「勝つためには何をやってもいい」と言わんばかりの戦い方を平気でやるようになったのか。その理由には、江戸時代の武士が受けていた教育、いわゆる武士道が近代日本の軍隊の中で死滅状態になっていたことが挙げられる。

ここで言う武士道は、『葉隠』にある「武士道というは死ぬことと見つけたり」のような心構えではなく、新渡戸稲造が『武士道』に書いた儒教的道徳のことだ。

新渡戸は「武士道は、語句の意味で言えば、戦う騎士の道、すなわち戦士がその職業や日常生活において守るべき道を意味する。ひと言で言えば、戦士の掟、つまり戦士階級におけるノブレス・オブリージュ（高貴な身分に伴う義務）のことである」と書き、たとえば「義」という言葉を挙げて「卑怯な行動や不正な行動ほど恥ずべきものはない」などと、武士階級が持っていた道徳観を説明している。

日露戦争の時には武士階級の出身者が軍の指導者だった。その意味ではまだましなほうで、太平洋戦争の時には武士階級に出自を持つ指導者がかなり少なくなる。

昭和20年2月、天皇に届けた近衛文麿の上奏文には「共産主義者になる階級の息子たちが軍を指導している。だから現実にやることは共産主義と同じなんだ」といったことが書いてある。

共産主義者かどうかはともかく、すでに大正時代に芥川龍之介が「軍人はなんであんなに勲章を欲しがるんだ」と嘆いたように、時代が下るにつれて、いわゆる低俗な軍エリートが多くなっていくのは確かだ。それは武士階級の出身者が少なくなったことと無関係ではないだろう。

たとえば東條英機。彼の父親は軍人だが、宝生流の能楽師の家系。父・英教(ひでのり)は陸軍大学校の第一期生で首席卒業ではあるが、それは単に机上の学問の点数がいいということでしかない。東條英機の心理を追うと、彼は華族になりたいとの意思が強かった。明治初期の軍エリートのなかには華族になっている者もいるが、軍人になる動機としては、いかにも俗っぽい。つまり、彼の「思想」は武士道に繋がっていない。そのことが戦争の現実に対する考え方、行動に影響した。

じつは芥川も、軍エリートが武士道の流れを汲んでいないことを嘆いたのではないか。

余談になるが、私は40代の時に東條英機の評伝(『東條英機と天皇の時代』ちくま文庫)を書いた。その折、昭和天皇の側近で内大臣だった木戸幸一にも取材を申し込んだことがある。木戸の秘書から「今、病で伏せていて直接答えることはできないが、作家の中野雅夫さんとよく会っているから、中野さんに質問を託してくれたら答える」と返事が来た。

私は中野雅夫さんをよく知っていた。彼は明治41年生まれ。戦前は共産党員で、戦後は社会主義運動や国家主義的なことをよく調べて書いていた。だから以前から、彼のところにいろんな話を聞きに行っていた。事情を話すと中野さんは快諾してくれた。長いこと取材活動をしていると、そんな幸運に何度も出くわすものだ。

そこで木戸から、東條の華族願望を教えられた。

人命無視を美談にすり替える

よく知られているように、新渡戸の『武士道』は英語で書かれ、『BUSHIDO, The Soul of Japan』のタイトルで明治32(1899)年にアメリカで出版されたものだ。そして西洋列強の国々でも翻訳されて各国でベストセラーになった。背景には、日清・日露戦争での日本の「勝利」に対する世界的な驚きがある。日本で翻訳本が出版されたのはその後、日露戦争から3年経った明治41年のことだ。

新渡戸の『武士道』には彼のキリスト教的ヒューマニズムが反映されているし、アメリカ人にわかりやすくするための安易な記述や史実的誤認もある。しかし、新渡戸的な

旅順陥落後、中国・水師営で乃木希典将軍ら日露両国の軍首脳が会見し記念撮影。中列左からレイス参謀長、乃木将軍、ステッセル将軍＝明治38（1905）年

武士道は日本人の中にある「軍人観」の一つには違いない。その軍人観で戦っていたら、日露戦争における日本軍の戦闘は「勝つためには何をやってもいい」というものにはならなかったはずだ。

日露戦争では乃木の長男と次男も戦死している。その知らせを聞いた乃木は「これで世間に申し訳が立つ」と言ったとの「美談」が残っている。何人もの部下を死なせたことに対して良心的に苦しんだとされているが、私には、人命を戦争の原価計算に入れない日本の軍事の悪癖を、都合よくすり替えただけのように思える。

日本は、日清戦争の時から戦時美談や、「英雄」「神様」を作っている。たとえば「死んでも突撃ラッパを口から離しませんでした」という陸軍二等卒の木口小平（きぐちこへい）のエピソードは、明治35年から昭和20年まで修身の教科書に載った。昭和7年の上海事変の「爆弾三勇士」や、昭和16年の真珠湾攻撃の「九軍神」などもそうだ。あるいは特攻作戦の時、東條英機は「日本の青年は自分の命を捧げることをなんとも思っていない。こんな気高いことがあるか」などと称賛している。

いずれも「兵隊の命なんか知ったことか」という本音を美談にすり替えたものだ。こういう人命無視の問題も、戦争の勝ち負けを考えるうえで重要な論点である。

（Ⅱ）第2の戦間期――「さっさと逃げるはロシアの兵」の数え歌

「ごまかし」に庶民は失望し、軍人のデタラメが加速する

日露戦争が終わった明治38（1905）年から、第一次世界大戦が始まる大正3（1914）年までが日本にとっての第2の戦間期。この戦間期は「特殊」なものと言える。日本の近代史の中で、特異なほど社会・文化的に戦争から遠ざかっているからだ。

どうしてそうなったのか。日本は日露戦争後の明治40年、仮想敵国を陸軍がロシア、海軍がアメリカとして軍備の充実を図る「帝国国防方針」を決めている。しかし一方で、日本社会には軍事に対する反発が出てきていた。

日露戦争は、中国が主体性のない時代に日本とロシアが満州を舞台に戦った。まさに山縣有朋が言った利益線の取り合いだ。そして日本はポーツマス条約で朝鮮、中国の一部を現実に手に入れた。歴史のうえでは勝ったとされているし、実際に大きな利益を生

んでいく。戦争の一つの形として勝ったことは間違いない。

日露戦争の後に子どもたちが歌った数え歌がある。

「一列談判破裂して／日露戦争始まった／さっさと逃げるはロシアの兵／死んでも尽くすは日本の兵……東郷元帥万々歳」

一から十までの数字を織り込んだ歌詞を幼児がどれだけ理解していたかわからないが、全国津々浦々で歌われた。

尻取り歌もあった。

「日本の、乃木さんが、凱旋す、すずめ、めじろ、ロシヤ、野蛮国、クロパトキン」

日露戦争の勝ちに国民が沸いたことも事実なのだ。

ただし同時に、この勝利がその後の日本の足を引っ張る理由になる。たとえば、関東軍が満州に拠点を置き、鉄道の駅や線路を防備するようになった。そういう限定的な役割だったものを、関東軍はいつの間にか満州の全域を支配するようにもっていく。つまり、日露戦争で獲得した権益は関東軍が暴走する格好の隠れ蓑になった。

またポーツマス条約の交渉で、日本はロシアに賠償金を要求した。ロシアは「何を言

ロシアのバルチック艦隊を撃破して、東京に凱旋した東郷平八郎・海軍大将を出迎える群衆＝明治38（1905）年、新橋の凱旋門前

うか。俺たちは負けたと思っていない。まだ戦争を続けようか」と、いわば脅しをかけて賠償金の支払いを拒否する。

ロシアとすれば、まだ国力総体が完全に失われていたわけではないので、単なる脅し文句ではなく、実際に戦争続行の意志があったはずだ。そこへアメリカが仲介に入って、日本が賠償金要求を引っ込める形で収まった。

一方で、収まらなかったのが日本の国内世論だった。日露戦争には約18億2600万円（国家予算の約7倍）もの戦費が投じられた。戦費調達のための増税や不況に苦しみ、ようやく勝ったと喜んでいたのに賠償金が全く取れなかった。それでポーツマス条約反対の声が高まる。明治38年9月の日比谷公園での大規模デモは、内務大臣官邸や新聞社、交番などが焼き討ちされる暴動に発展、戒厳令まで敷かれた。

日露戦争における日本の勝利は、確かに世界中に衝撃を与えた。しかし、それによって日本の軍エリートは増長し始め、同時に賠償金が取れなかった屈辱感を味わう。戦争で賠償金を取るためには、徹底的に戦って戦果を上げなければいけない。そんな「戦争=事業」の意識がさらに強まり、日本の軍事の重要な柱になっていく。

日本軍は「帝国国防方針」を受けて、軍人教育に日露戦争の教訓を生かそうとするが、そこにも問題があった。

たとえば『機密日露戦史』という本がある。著者は陸軍大学校の教官だった谷寿夫。谷による日露戦争を総括する大正14(1925)年の陸大の極秘講義録とされている。これを読むと日露戦争後の軍人教育の問題点がよくわかる。

『機密日露戦史』は客観的な事実を書いているわけではない。自分の部隊はこうだった、ああだったという軍エリートの言い分に合わせて都合よく出来事が記されている。つまり、史実と違い、負け戦やよくない戦況でも勝ちと見ていて、全部うまくいって勝ったことになっている。

このような「事実誤認」を国家的な日露戦争の総括として教育された軍エリートは、どういう戦争観を持つようになるか。それは、たとえば太平洋戦争での出鱈目ぶりにも繋がっていくのである。

つかの間の「政治」の時代

日露戦争中にも与謝野晶子が「君死にたもうことなかれ」と、いわゆる反戦詩を詠んだが、戦後は戦争疲れとともに戦争を見直す精神的な余裕が出てくる。

この精神的な余裕は文学の隆盛ももたらした。たとえば、夏目漱石が次々と小説を発表して人気を博したのは明治38年から亡くなる大正5年までだ。

また、社会主義運動に対する政府による弾圧が強まった時代でもある。

日本の社会主義運動は、明治31年に幸徳秋水や片山潜、安部磯雄たちによって発足した「社会主義研究会」から明治33年に改組した「社会主義協会」を中心に活発化した。

大正時代初期の、演習中と思われる日本海軍戦艦、装甲巡洋艦＝1912年

社会主義協会は平民社と一体で活動する。

　平民社は日露戦争の開戦前、非戦論から主戦論に転じた黒岩涙香に反発し、「萬朝報」を退社した幸徳秋水と堺利彦が結成、「平民主義・社会主義・平和主義」を唱える「平民新聞」を発行した。しかし、社会主義協会は日露戦争中に解散を命じられる。

　そして明治43年に社会主義者による天皇暗殺計画が発覚したのを機に、社会主義勢力の一掃を狙った大逆事件も起こった。その意味では、日本の第2の戦間期は軍事ではなく政治の時代だった。

　この時期、日本の議会政治もある程度固まってくる。内閣総理大臣は西園寺公望や桂太郎で、どちらかと言えば非軍事的な社会制度が議論され、そういう考え方の政治家が活躍する。海軍の山本権兵衛も大正2〜3年に首相を務めるが、戦争一本やりではなく、軍事と政治をどうやってきちんと融合させるかを考えた。

こうした雰囲気は第一次世界大戦後、1920年代の世界的潮流と似ている。第二次世界大戦が起こるまでの西洋列強の戦間期は、それ以前と比べものにならないくらい政治的に平和を求めた時代と言えるだろう。

1920年代は、日本では大正の終わりから昭和の初め。満州事変が起こるまでの第3の戦間期にあたる。この時代、日本も世界と同じような社会的雰囲気だった。しかしそれが軍部の不満を高め、満州事変に繋がっていく。

ただし日本の場合、第一次世界大戦そのものに直接参加したとは言えない。陸軍の一部が中国でドイツの権益を奪ったり、海軍がイギリスの兵隊を運んだりした程度だ。だから社会的雰囲気は似ているとはいえ、第一次世界大戦で戦争に懲り懲りして平和を求めた西洋列強とは、かなり温度差があった。このことは次章で詳しく述べる。

第4章　第一次世界大戦の危険な果実

青島戦で活躍する日本海軍のモーリス・ファルマン水上機。これが日本の軍用機初の実戦参加だった＝1914年、中国・山東半島

（Ｉ）国家総力戦への大転換

史上初の世界大戦、従来と一線を画す五つの特徴

１９１４年に始まった第一次世界大戦はヨーロッパの戦争だ。それがなぜ「世界大戦」と命名されたのか。その理由に、いわば戦争の発展史の決定的なターニングポイントを見ることができる。

第一次世界大戦以前の大規模な戦争は、たとえば、プロシアとフランスの戦いなら普仏戦争、アメリカとスペインの戦いなら米西戦争と、戦ったもの同士の国名を冠して呼ばれる。

第一次世界大戦はそれ以前の戦争と何が違うのか。

主に五つの特徴が挙げられる。

①世界各国の参戦
②武器の強大化による戦争規模の拡大
③戦争目的の曖昧さ
④経済の消耗戦
⑤戦争の残虐性の明確化

順に説明していく。

第一次世界大戦の一つ目の特徴は、ヨーロッパ各国にとどまらず、世界中のいろいろな国が参加したこと。アジアや中東、アフリカも例外ではなかった。

ドイツに宣戦布告した日本以外に、イギリスやフランスなどの海外領土や植民地の人々がヨーロッパの戦場に駆り出された。たとえばインド人がイギリス軍、セネガル人がフランス軍に徴兵されて戦っている。つまり、参加した国も人員も世界的広がりを持つ戦争だった。

ただし、西洋列強がいわゆる非白人の兵隊を使ったことは案外と知られていない。自慢できるような歴史ではないから伏せられがちなのだろうが、その犠牲は100万人を超えるとされる。にもかかわらず忘れられているのは、彼らが正規の兵士として見られていなかったからに違いない。西洋列強の植民地の人々は人間扱いされず、単なる戦争の消耗品として扱われたのだ。

現在のウクライナ戦争にも様々な国の人たちが義勇兵や傭兵として参加しているが、メディアではいわゆる白人の姿ばかりが目立つ。そこには、ウクライナにもロシアにも共通するある種の狡猾さがあるようにも思える。

さて、二つ目の特徴は武器が格段に強力になったこと。つまり、科学技術が進んだことによって戦争の規模が一変した。

第一次世界大戦以前は、青年たちが兵士として人里離れた空間、どこか非戦闘員がいない場所で戦った。そういう限定的な戦闘に勝ったほうが戦勝国になった。しかし第一次世界大戦では、射程の長い大砲や戦車、飛行機が登場し、爆弾の性能も格段によくなる。したがって、非戦闘員がいる地域も攻撃のターゲットになった。

「国家総力戦」という言葉が出てきたのも第一次世界大戦の頃からだ。戦争は兵隊だけが戦うものではなく、国家全体で戦うもの。その国に住んでいる人たち、老人も赤ん坊も含め、全国民が戦力となった。そして軍事だけでなく、経済はじめ外交、文化などあらゆる局面で敵国と戦う。国家総力戦とはこのような意味だ。

1914～1918年の第一次世界大戦は、文字通りそういう戦闘が行われた。その結果、約1000万人の戦闘員と約700万人の非戦闘員が死んだと言われている。もはや非戦闘員だからと命が保障されることはあり得ない。

このように、科学技術の進歩による戦場の広がりと武器性能の向上は、否応なく国民全員が参加するそれまでにない戦闘の形式をもたらした。このように第一次世界大戦では、戦争自体の規模が空間や犠牲者数、影響する領域など、様々な意味で格段に拡大したのだ。

20世紀の戦争観の出発点

三つ目の特徴は、戦争の「目的」が曖昧だったこと。

連合国陣営（ロシア、フランス、イギリスの三国協商に由来）と同盟国陣営（ドイツ、オーストリア＝ハンガリー、イタリアの三国同盟に由来）に分かれて戦ったのだが、戦闘が続く中で、自国の利益あるいは自国の国民の反応によって戦線を離脱する国もあった。つまり、両陣営とも統一した戦争の理念と戦略があったわけではない。

たとえば、イタリアはオーストリアとの領土問題もあって、開戦時には中立を宣言。1915年には三国同盟を離脱し、連合国陣営に入って参戦した。アメリカも当初は中立。ようやく1917年にドイツに宣戦布告して連合国陣営に入った。

あるいは連合国陣営のロシアでは、1917年にレーニンの革命によってソビエト政権が誕生。新政府が全体の終戦の半年以上前にドイツと単独講和を結び、戦線を離脱している。

そして四つ目。戦争が経済の消耗戦になった。

つまり、とにかくカネがかかる。日々の経済が戦闘の一環に組み込まれて、戦争は日常生活そのものが犠牲になることとイコールになっていく。第一次世界大戦では国家財政が破綻する国も出てくる。それを支援したのがアメリカで、連合国陣営に膨大な資金を貸し付けた。

こういう国家総力戦の持久戦争では、国力の強い国は戦争を続けられるが、国力の弱い国は続けられない。その強弱が戦闘の初期段階で誰の目にもわかるようになった。

最後、五つ目の特徴。第一次世界大戦では戦争の残酷さが明確になっている。敵の国家そのものの殲滅が技術的に可能になって、市街地を爆撃するなど無差別的に多くの市民を殺害するようになった。最終的には大量殺人兵器も生み出される。それが毒ガスだ。あるいは塹壕で長期間戦って頭がおかしくなる兵士がたくさん出てくる。国家総力戦が4年も続き、考えられないような形で戦争の被害が質量ともに拡大していった。

これは取りも直さず、軍人の考える戦略・戦術は放っておくと残酷化することが明らかになったということだ。だから第一次世界大戦後、国際社会はその歯止めを考えるようになった。戦闘の中でこういうことをやってはいけないと、いわば戦争をチェックし、抑制する枠組みを作る。たとえば、非戦闘員を処刑しないとか捕虜を市民として扱うとか、そういう規範が国際法上決まっていく。

第一次世界大戦はそれまでの戦争観を大きく変えたし、それが20世紀の戦争観にもなったと言える。

日本の「いいとこ取り」と、度し難い欠落

第一次世界大戦の端緒は、オーストリアの皇太子夫妻をセルビアの民族主義者が暗殺した一つの事件に過ぎない。ヨーロッパでは1週間もあれば片が付くと見られていた。しかし、未曽有の世界大戦が4年も続く。

挙げ句にドイツ帝国、オーストリア＝ハンガリー帝国、ロシア帝国、オスマン帝国が崩壊した。この四つの帝国の崩壊によって今日のヨーロッパや中東、中央アジアなどの主な国境が決まったと言える。

特にオスマン帝国は大幅に縮小した。同盟国陣営に入って敗戦国となり、1922年に皇帝メフメト6世が亡命し、共和制に移行する。その新政府が最終的な講和条約（1923年ローザンヌ条約）で自領の大部分を連合国に割譲する、あるいは放棄する。たとえば、バルカン半島のマリツァ川以西のヨーロッパ地域やシリア、イラク、エジプトなどを放棄した。キプロスをイギリスに、エーゲ海諸島をギリシアに割譲するなどした。

こうして今日のような国境を持つトルコが誕生する。

四つの帝国が崩壊していく中で、国家として独立する民族・地域も増えていった。たとえば、チェコとスロバキアはオーストリア＝ハンガリー帝国の中に組み込まれて戦っていたが、1918年に同帝国が崩壊すると、独立派がチェコスロバキア共和国を発足させる。

こうした帝国の崩壊や共和制への移行も含め、第一次世界大戦の特徴的内容と戦後の世界的変化に、日本はほとんど関わらなかった。

日本は連合国陣営に入って参戦した。日英同盟のよしみからだが、中国の青島にいるドイツを追い払い、その権益を確保する狙いがあった。イギリスに参加すると伝えると、いったん感謝されるが、すぐに日本の力を借りなくても我々の力で解決すると拒否される。しかし日本は、もう天皇の裁可をもらっているからと強引に参加し、1914年にドイツに宣戦布告した。

ドイツは青島を租借地にしていたほか、サイパンやテニアン、パラオも委任統治していた。日本は青島や南洋諸島でドイツ軍と戦い、その権益を奪い取ることに成功する。

また、日本はドイツ軍とオーストリア＝ハンガリー軍の将兵約1000人を徳島の「板東俘虜収容所（現徳島県鳴門市・ドイツ村公園）」に収容した。ここでの捕虜の扱いは非常に人道的・友好的だったとして、今も国際的に評価されている。

日本にとって第一次世界大戦は、まさにいいとこ取りをした戦争だった。いわゆる戦勝国にもなった。ただし、これまで述べてきたような戦争の内実とその大きな変化を全く体験的に学んでいない。この欠落がその後、度し難く日本の足を引っ張ることになる。

敗戦の意識が希薄だったドイツ

第一次世界大戦は第二次世界大戦と違い、イギリスやフランスなどの連合国陣営の軍事がドイツやオーストリアなどの同盟国陣営の軍事を徹底的に押さえつけて、相手がいっせいに「もう参った」と言って終わったわけではない。

たとえば、講和条約。ドイツ（市民革命によって帝政を打倒したワイマール共和国）は1919年6月に連合国陣営とヴェルサイユ条約を結んだが、トルコ（オスマン帝国崩壊後の新政府）がローザンヌ条約に署名したのは1923年7月だ。

特にドイツは、ベルギー南部からフランス北東部の西部戦線で主要な戦闘に負け続け、ドイツ革命（1918〜1919年）の影響もあり、西部戦線を維持する国力がなくなって休戦協定を受け入れたものの、明確に降伏したわけではなかった。つまり、戦争に負けた意識がドイツは極めて希薄だった。そのことが第二次世界大戦の伏線になっていく。

当時の国際社会の見方もそうだった。たとえば第二次大戦の時、第1章で触れたようにアメリカのルーズベルト大統領は、「ドイツは第一次大戦で負けた意識を持たなかった。だから戦争を始めた。今度は二度と立ち上がれないようにしてやる」などと言った。

勝敗に対する意識が希薄だったのはドイツだけではない。戦況では一進一退だったロシアの帝政が革命によって崩壊するなど、第一次世界大戦自体の勝ち負けが曖昧だったとも言える。

連合国陣営も大きな損害を被った。特に西部戦線で激しく戦ったフランスの損害は甚大だった。それを全部ドイツにつぐなわせようと、膨大な賠償金、普仏戦争などで獲得した領土（アルザス＝ロレーヌ地域など）の割譲や全植民地の没収、ドイツが自国領域外に持つ権益や特権の全面放棄、大幅な軍縮などを要求する。

アメリカのウィルソン大統領は「和解の平和」を唱え、対ドイツ強硬論に反対したが、結局、フランスの要求に譲歩し、ヴェルサイユ条約はドイツにとって極めて厳しい内容になる。要は、連合国陣営がいわばドイツの財産を山分けする形になった。これが結果的にヒトラーを生み、第二次世界大戦という「復讐戦」に繋がっていく。

ちなみにドイツに科せられた賠償金は1320億マルク。30年賦だったが、ナチス・ドイツによる支払いの中断もあって、メルケル政権の2010年になって、ようやく完済している。

(Ⅱ) 第3の戦間期——曖昧になった「軍事哲学」

第一次世界大戦は1回表、第二次世界大戦は裏

近代日本の軍事の基本的な問題点は、ここまで述べてきた「戦争の現実」を第一次世界大戦から何も学ばなかったことだ。当時の日本が学ぶべき、あるいは学び得た戦争の

現実は主に二つあった。

一つは戦争が国家総力戦になったこと。もう一つは戦争の残酷化を止める国際ルールができたこと。

日本はそれをほとんど無視し、国家総力戦を国民の生命と財産を守るための行為ではなく、「国民の生命と財産をつぎ込むのが国家総力戦だ」と解釈するようになる。

つまり、戦争の現実あるいは戦争の在り方についての基本的な思想がないまま、戦略・戦術や武器の開発・整備などの軍事を進めた。軍エリートの兵隊に対する考え方も曖昧なままになった。

こうした欠陥がそのまま太平洋戦争に引き継がれ、結果として特攻や玉砕の形で出てきてしまう。

さて、世界史的には第一次世界大戦の終結（1918年）から第二次世界大戦の勃発（1939年）までが「戦間期」と呼ばれるが、日本にとっては1931年の満州事変までが第3の戦間期にあたる。

繰り返し述べているように、基本的に戦争は「戦争で失ったものは戦争で取り返す」

という意志、戦間期の思想によって起こる。つまり、各国の歴史の中にあるA戦争とB戦争は連続性を持っていると言える。

特に第一次世界大戦と第二次世界大戦は、その連続性に注目しなければ歴史的評価や解釈はできない。要するに、第一次大戦勃発の1914年から第二次大戦終結の1945年までの31年間を、野球の1回表と1回裏のように見直すことが重要だ。

1回表で大量失点したチームが1回裏で大量得点を狙って攻撃した。これが第一次大戦と第二次大戦で、そういう裏の攻防に欧米の主要国が備えたのが世界史的な戦間期と考えればよい。

1回表で大量得点したのはイギリス、フランス、アメリカを中心とする連合国陣営。大量失点したのはドイツ、オーストリア、トルコを中心とする同盟国陣営。戦争の終わり方が曖昧だったとはいえ、勝ち負けは一応オーソライズされた。

ドイツが負けたのには二つの理由がある。一つは、西部戦線でのドイツ軍による1918年の大規模攻撃「春季攻勢（アミアンの戦いなど）」に連合国陣営が勝ち、それ以降、ドイツ軍が防戦一方になったこと。

もう一つはドイツ経済が荒廃し、国民の間で君主制反対と戦争反対の社会主義的な動きが激しくなり、国内の統一が取れなくなったことだ。ドイツは国力が分断されてしまい、もう戦う力、特に軍を支える国民の力がなくなり、戦争を続けられなくなった。

それで休戦となり、1919年1月にイギリス、フランス、アメリカ、イタリア、日本を「五大国」とする連合国陣営32カ国が集まってパリ講和会議が開かれる。対ドイツ融和派のアメリカと強硬派のフランスの間で対立はあったものの、結局、膨大な負担を科す過酷な講和条件をドイツがのむ形で戦争は終わる。

「ふざけるな」という怒りの中、ヒトラーが登場

大戦終結後に結ばれたヴェルサイユ条約の影響で、戦後のドイツ社会は大幅なインフレと大量の失業に見舞われ、国力全体が大きくダウンしていく。軍事においても「陸軍兵力は10万人以下」といったいろいろな制限がかけられていた。

ドイツにしてみたら、本当は負けたと思っていない戦争の敗戦国にされて徹底的に国益を侵害されている状態だ。徐々にドイツは「ふざけるな」と怒り出し、激しく抵抗す

るようになった。それがヒトラーのナチス・ドイツの登場だ。

ヒトラーの考えはある意味単純だった。我がドイツ民族をこんな状態にしたのは誰か。戦争に負けたからだと言い、過酷な条件を押し付けたフランスなどのせいだ。その裏にはユダヤ人の資本、ユダヤ人の策動がある。だからドイツ民族の復興とユダヤ人の抹殺を訴えた。

ヒトラーは1933年に首相となり、荒廃していたドイツ経済も少しずつ立て直していったのは確かだ。ただし、何も彼自身のアイデアではない。その周辺にいる経済人たちが高速道路（アウトバーン）などを作る公共投資を進め、失業者を吸い上げていった。1929年のアメリカの株価大暴落に始まる世界恐慌は、ケインズ理論の公共投資で復興へと向かうが、それと同様の経済政策だ。

ヒトラーの政策の根幹には、精神的あるいは経済的に第一次世界大戦で屈辱的な状態に陥ったドイツを復興させる、そのために戦争で失ったものを戦争で取り返す。そういう戦間期の思想がある。だからヒトラーは権力を握るや独裁体制を敷いていく。いつでも戦争ができるように。

第二次世界大戦は1939年にナチス・ドイツがポーランドに侵攻したところから始まる。そこに至る2年ほどの間に、ドイツの軍隊は人員、装備とも急激に拡大していた。第一次世界大戦の講和条件に反するが、主要国はそれに対してあまりクレームをつけなかった。その意味では戦間期の備えが甘かったと言える。

日本独自の帝国主義戦争の始まり

ルーズベルトは1941年12月8日、前日の日本による真珠湾攻撃を受けて、議会で有名な「恥辱演説」を行った。これでアメリカの参戦が決まるのだが、その時、新聞記者のインタビューにこう答えている。

「今度の戦争は無条件降伏しかない。無条件降伏を日本、イタリア、ドイツに認めさせて、お前たちは負けたのだということを徹底的に教え込む必要がある。途中の和平はない。徹底的に戦う。そして我々が望むデモクラティックな体制を作って、二度と我々に歯向かってこない国にするのだ」

日本は第一次世界大戦との関わり方から言っても、ドイツのような戦間期の思想を持っていたわけではない。ルーズベルトは、日本についてあまり具体的に知らなかったとも言われており、その意味では蔑視的な匂いも感じる。

日本の場合、第一次世界大戦でドイツが中国に持っていた権益を奪った。第3の戦間期には、そのような権益をさらに補完、拡大していこうと準備をする。だから1931年、独自に中国で帝国主義的な侵略をしていこうと満州事変を起こしたのだ。

前述したように、日本は第一次世界大戦に日英同盟のよしみで参加した。イギリスに参加しなくていいと言われたけれども、半ば強引にドイツに宣戦布告する。このヨーロッパの戦争を使って利益を得る思惑があった。

それで中国の青島や南洋諸島でドイツ軍との戦闘に勝つ。1915年には大隈重信内閣が袁世凱（えんせいがい）政府に対して「21カ条要求」を突きつける。山東省や満州の権益などの要求のほか、日本人を中国政府の政治・軍事・経済の顧問として雇用せよといった秘密の「希望条項」もあった。

しかし、この秘密条項を中国が公表すると、アメリカなどから「火事場泥棒は許さない」とばかりに批判される。日本は慌てて希望条項を引っ込め、かつ一部修正した要求を袁世凱政府に承認させた。

これを機に中国内では抗日の気運が高まっていくのだが、結果的に日本はドイツが持っていた中国の権益を獲得して、ドイツに代わってサイパンやテニアン、パラオの委任統治もするようになる。つまり、日本は第一次世界大戦で思惑通り十分に利益を得た。

ただしこの「勝利」の反面で、兵器の進歩や戦略の変化、非戦闘員が700万人も死んでいる事実などを客観的に学ぶ姿勢が日本には欠落していた。それはなぜか。

負けは国民のせい――日本軍エリートの未熟な戦争観

第一次世界大戦後、東條英機や永田鉄山など日本の佐官クラスの軍人たちは、主にドイツへ留学するようになる。ドイツはなぜ負けたかということについて見聞し、彼らなりに答えを出して帰国する。

ドイツ留学組の結論はこうだった。ドイツの軍人は一生懸命に戦った。けれども、銃後を支えるべき国民が支えずに君主制を崩壊させようとデモをしたりした。要するに、ドイツは国民が国家の統一を妨害したせいで戦争に負けた。問題は軍人の側ではなく、国民の側にあった。日本はそれを参考に国民を戦争に向かわせなければいけない——。

つまり日本軍のエリートたちは、第一次世界大戦で非戦闘員が700万人も死んだ国家総力戦の意味を学ばずに帰国した。

言うまでもなく、軍人が戦争をする時に必要なのは、シビアな原価計算を含む合理的な戦略・戦術だ。国家総力戦になって、それがますます不可欠になった。しかし、そういう戦略・戦術ではなく、兵隊を鍛えて国民を戦争に参加させることが大事なんだ、それが国家総力戦なんだと、いい加減な理解をしてしまう。

彼らの影響もあって、日本は結局、戦争に負ける責任は国民の側にある、軍人の側にはないという形で昭和の軍事を引っ張っていく。

ただし、官僚の中には「知恵」を持っている人物もいた。たとえば、大蔵省の青木得三。第一次世界大戦では、日本も一応戦勝国だから、ドイツなど敗戦国に科す賠償金を試算する国際委員会に参加している。日本代表が英仏駐在大蔵事務官の青木だった。彼の算出方法が極めて妥当性を持っていたので、各国の委員は驚いた。

そういう日本にあったはずの、国際的に通用する知恵が生かされず、日本は軍事一本やりの見方しかできなくなる。しかも戦争の残酷さに対する人道的な視点も、国家総力戦に対する合理的な視点もなく、単に軍エリートは正しくて兵隊と国民が間違っていると断じるだけの、極めて狭い視野の人間たちが昭和の軍事指導者になっていく。このことはやはり大きな問題だったと言えるし、繰り返し述べている「軍事哲学なき日本の戦争観の未熟さ」をよく表している。

日清戦争、日露戦争、第一次世界大戦と、ほぼ10年おきに戦争をしていたことも、日本の戦争観の未熟さに影響している。

日本には、戦争に対してきちんと向き合い、大局的に考える時間的な余裕がなかった。つまり何の検証もなく、前の成功体験だけを引用して、すぐに次の戦争を行った。新兵を鍛えるにしても、プラス面しか語り伝えず、マイナス面は無視した。

ただひたすら軍隊が突っ込んでいって相手を負かして賠償金を取る。それが戦争だという考え方、ある意味わかりやすい軍事論のもとで、日本は第一次世界大戦以降も動いていく。

しかし、そんな甘い軍事論を持つ西洋列強、先進帝国主義の国は一つもない。ここまで述べてきたように、西洋列強は戦争から様々な教訓を得て、いわば成熟した軍事論を持つに至っている。

そもそもアジアを解放する資格はなかった

日本に限った話ではない。どの国、どの時代においても戦争の教訓を学ぼうとしない姿勢は国家的な致命傷になる。

日本の戦争の歴史について曖昧にわかったつもりになってはいけない。やはりリアリズムの目で見ることが重要だ。当時の人たちが主張したことに関してもしっかり見ておく必要がある。そして、今を生きる私たちから見ておかしいと思うところは、きちんと批判的に捉えて、何がしかの教訓を得なければならない。

私は、太平洋戦争の時代のいわゆる知識人からも数多く話を聞いている。たとえば、東京帝大で学んで官僚となり、戦争の政策を練った人物に、こう尋ねたことがある。

「当時、大川周明などが言った『東亜の解放』を若い人はどう思っていたのですか」

彼はこんなふうに答えた。

「若い時はみんないろんな本を読んで、いろんな知識を持つ。だから西欧の帝国主義は酷いことをすると誰もが感じていたし、それを追い払わなきゃいけない、日本にはその役ができると思っていた。しかし、日本も結局は同じようなことをやった。要するに、日本にはアジアを解放する資格はなかったんだよ」

つまり、問題意識は十分に持っていた。しかし、それを具体的にどうするかとなった時に、そのノウハウや行動原理ははっきりしていなかった。

その人はこんなことも言っていた。

「南洋へ出征する前、土人どもは教養がない、本も読まないし、文字も書けない。だからオランダに支配されたり、イギリスに支配されたりしたという教育を受けた。ところが、実際にインドネシアのジャカルタに行ってみたら、現地の知識人の教養はかなりレベルが高くて、むしろ自分たちのほうが土人じゃないかと感じるくらいだった」

「要するに、アジアの人たちを見下して、土人呼ばわりしていたところにそもそも日本の誤りがあった。でも、多くの軍エリートや兵隊は自分たちの受けた教育が間違っていたとは思わなかったし、戦後もそういう風に考えている。日本は、そういうところから根本的に改めなきゃダメだと、つくづく思う」

先に述べたように日清戦争以来、日本は戦闘で負かした相手を悪し様にののしる悪癖がある。

1938年に李香蘭こと山口淑子(よしこ)が「日満親善女優使節」として初めて中国から日本へ来た時のこと。下関で入国審査を受けた。当時の彼女は日本語の得意な中国人アイドル・李香蘭、服装もチャイナドレスだ。ただし、窓口で見せたのは日本人のパスポートだった。入国審査の係官は「お前はなんだ、一等国の日本人でありながら三等国の国民の服を着て、恥ずかしくないのか」と怒鳴ったそうだ。

こういう増長は、我々の国の基本的な欠陥である。戦闘に勝ったからといって、相手を平気で三等国と言える日本人のほうが、はるかに三等だったのではないのか。

第5章

アジア・太平洋戦争は「勝ち」

――真の利害得失

満州事変で関東軍がハルビンに入城し、戦車隊が示威行進。満州国建国直前の時期。戦車は第一次世界大戦の「遺物」で、かなり旧式＝昭和７（1932）年

（Ⅰ）誰のための戦争か

日本は中国にどんどん入っていき、国際的に孤立していく

20世紀前半の50年間には、第一次世界大戦が始まる１９１４年から第二次世界大戦が終わる１９４５年までの30余年が含まれる。途中の戦間期を戦争の準備期間と見れば、20世紀前半の世界は戦争そのものの時代だったと言える。

日本の20世紀前半はどうか。19世紀末から日清戦争、日露戦争があった。そして朝鮮半島や中国を舞台に世界の常識に反するような戦闘を行い、第一次世界大戦、第二次世界大戦でもどんどん中国の中に入っていき、ついには矛先がアメリカに向かっていった。

繰り返しになるが、イギリスやフランスなどの先進帝国主義国は中国の全土を押さえようとしなかった。そうすること自体が無駄だとわかっていたからだ。つまり、中国は独特の文明・文化を持っている国なので、そこに入っていくことによって多くの兵隊の

命を失い、心理的な負担を強いられ、それから残虐な大量殺人といった人道上の背反行為に加担することになる。

だから危ない橋は渡らない。それらの国々は、中国では特定の地域に租界地などを持ち、限定的な権益を確保していわば橋頭堡を作った。そこを拠点にして中国のおいしいところだけを吸い上げることにした。

それに対して日本は、中国の奥深くまでどんどん入っていこうとする。西洋列強はみんな驚いた。そして国力が弱い中国に同情して支援する形を取る。もちろん、そこには中国をうまく利用して自分たちの権益をさらに得ようとする狙いがある。それが長い植民地支配の歴史から学んだ西洋列強の「海外経営」の形だった。

そんな西洋列強が、20世紀前半を通じて中国の奥地にまで兵を進め、中国全土を自国の領土のように支配しようとする日本を見てどう思っていたか。「日本には我々のような歴史感覚がない」と見ていたはずだ。

1919年に孫文が結党した中国国民党の指導者は、孫文以外は有閑階級の子弟たちが多く、ほとんどがアメリカに留学していた。そこで反日本的なことを教え込まれ、帰国すると抗日キャンペーンをするようになる。そのためもあり、日本は国際的に孤立していく。しかし、そういう変化に日本はすこぶる無頓着だった。

中国との戦争の足場となったのは「満州国」だった。なぜ日本は昭和7（1932）年に満州国という傀儡国家をわざわざつくったのか。

日本の耕地面積は国土の約13パーセントで、その収穫量は普通作でちょうど3000万人ほどが養える量と言われる。江戸時代、日本の人口は3000万人前後だった。干ばつなどで凶作になると飢饉になり、少し人口が減るけれども、普通作なら誰もがまずまず食べていける。だからこそ「鎖国」も可能だったのである。

ところが明治以降、人口が急速に増え、昭和に入ると7000万人前後にもなる。その食料対策に中国の広大な土地を利用しようと、昭和7年から満蒙開拓団が送られた。その数は昭和20年までに約27万人に達する。もちろん、それには軍事的な収奪と支配が伴っていた。

そういう支配を恒常化させるためにも傀儡国家の満州国が必要だった。しかし実際上、どれほど満州国や満蒙開拓団が食料対策に貢献したかは疑問だ。それよりも「安心できる空間の確保」や「支配欲」のほうが大きな理由に違いない。

中国は日本軍を奥地へ引きずり込んだ

日中戦争が始まる昭和12（1937）年、政権の座にいた中国国民党は南京を首都としていた。日本が侵攻してくると首都を西方奥地の重慶に移してしまう。

日本は、戦争に勝つとは首都を押さえることだと考えていた。首都を落とせば、その国の全部を支配できると思っていた。しかし歴史的に見れば、中国にとって首都は便宜的に作るものでしかない。だから平気で奥地へ引っ込んでいける。

中国は意図的に日本を奥地へ引きずり込んだという見方もある。そうすることで戦争を長引かせ、そんなにあるわけではない日本の国力を消耗させる。たとえば、日本軍は武器弾薬や食料を運ぶ兵站（へいたん）が脆弱なので奥地に入るほど部隊は孤立する。中国軍はそれを取り囲んで叩くゲリラ戦を繰り返す。これが第二次国共合作で国民党の蔣介石と手を結んだ中国共産党の毛沢東が提唱した遊撃戦法だ。

日中戦争時の中国の人口は4億5000万人ほど。その全部を人口7000万人ほど

雪が積もり、凍てつく広野を進軍する日本軍＝昭和6（1931）年、中国・戴家堡

の日本が支配できると思える心理自体が西洋列強の常識からかけ離れていた。

防衛省の研究機関の元研究員からこんな話を聞いたことがある。

「なぜイギリスは日本と違い、中国の奥地まで入っていかなかったか。イギリスは中国の戦争の歴史を学んで、あるいは19世紀半ばのアヘン戦争、アロー戦争を通じて、中国の兵隊が侵入者に対して非常に残酷な殺し方をすることを知っていた。それを見たイギリスの兵隊が精神的におかしくなって、何をやり出すかわからないことも知っていた。イギリスの軍隊は一応、騎士道のプライドを持った軍隊なので、そんな野蛮なことはさせられない。だから入っていかなかったんだ」

日本は中国の戦争の歴史がどんなものか、よく調べたのだろうか。兵隊がどういう心理になるか考えたのだろうか。しかし、実際に南京に侵攻してみて、いきなり現実の一端を目の当たりにする。

ある元連隊長に「南京に入っていった時に、日本軍はなぜ残虐行為をおこなったのか」と、率直に尋ねた。

「なぜそれを明らかにできないんですか」とさらに答えを促すと、彼の説明はこうだった。

「斥候に20人、30人と出すと、だいたい中国兵に見つかって殺される。それで南京へ入っていく道路に10メートルおきに彼らの死体がずらっと並べられる。死体は腕を切られ、足を切られ、だるまのようにされ、しかも口の中に切られた性器が入れられている。そんな残酷な光景を見た日本兵は頭がおかしくなる。だから乱暴狼藉(ろうぜき)を働いたんだ。日中戦争はそんな戦争だった」

それが彼の言い分であり、言い訳であった。ただし、こういう例は一部である。本質的には侵略軍に戦争のモラルが欠けているがゆえの乱暴狼藉だ。

イギリスは侵略軍として中国と戦ったら、そういう惨状になることを知っていた。だから港の付近の数キロだけを押さえて、「お前らはここに入るな、俺たちもここから出ない」と取り決めた租界地を作った。

しかし日本軍は南京を占拠し、虐殺をおこなった。確かに兵隊は必死に戦ったのかもしれない。だが、ほとんどの場合は上官の命令を受けての蛮行だったのではないだろうか。理知的な上官の部隊では蛮行は少ない。

一方で、日本軍の情報には収集・分析も戦略・戦術も欠如していた。つまり、軍エリートや兵隊に対する教育そのものが基本的に欠けていた。そんな軍隊が強くなるはずがない。

戦争における「本当の勝ち負け」の視点で言えば、兵隊が精神的に傷つき暴発するからと租界地に張り付いていたイギリスと、兵隊のことなんか知ったことかと満州を出て進軍し、南京陥落に成功した日本と、どちらが勝者なのか。この「侵略戦争」を始めた時点で、日本はすでに敗者だったのではないか。

「騙し討ち」を招いた日本の官僚組織の弱点

1941年の真珠湾攻撃は、結果的にアメリカへの通告なしに行われた。これをアメリカは「騙し討ち」と非難し、「卑怯な国・日本」を喧伝した。ただ宣戦布告と言っても、通告とほとんど同時に相手を叩くことはあり得る。実際、駐米日本大使館の外交官の対応が悪くて、アメリカの国務省に伝えるのが1時間ほど遅れたに過ぎないとも言える。

しかし、こういう不手際を起こすこと自体が日本の問題点だ。なぜそうなったのかと言えば、日本の外務省が駐米大使に正確なことを教えていなかったからだ。

宣戦布告（日米交渉打ち切りの最後通牒）の電信メッセージ（2400ワードの暗号）は全部で14本あった。ようやく最後14本目が届いたのが真珠湾攻撃当日の未明。これを英文に翻訳して午後1時に国務省へ渡せと命じるものだった。その文書に大使館員が気づいたのは当日の朝。前日の夜、職員の送別会があったことも作業の取りかかりを遅れさせたが、緊急の内容であることを告げず、何が何時に届くから待機せよといった指示もかなり曖昧だった。

こういう曖昧さ、連携の悪さは日本の官僚組織の弱点だ。それは今日の日本にも通じる致命的な欠陥だろう。

また戦後、外務省出身の政治家、有田八郎や吉田茂は、アメリカと戦争する理由は全くなかったと批判している。

「強硬なハル・ノート（米国務省が中国からの全面撤兵などを日本に提案した覚書）を突きつけられたからだと言うが、あれのどこが問題なんだ。交渉する材料じゃないか。それなのにカッとなって戦争するなんて、軍人が自分たちの都合のいいことしか考えていなかった証拠だ」というのが二人の言い分だ。

勲章を得るための戦争

日本にとって第二次世界大戦（アジア・太平洋戦争）は、ある意味で言うと、軍人の軍人による軍人のための戦争だった。国民が戦争の方針に納得して自らついていく意志を示し、軍人と一緒に戦うというものではない。うまくいっている時は確かに国民も支持していた。しかしそれでさえも、意識の高い人たちは「こんなことをやっていて大丈夫か」と疑問を持っていた。

これは日中戦争や太平洋戦争に始まったことではない。日清戦争以来、日本は軍人の軍人による軍人のための戦争しかしなかった。戦争の目的は国益を拡大するためではあるけれども、個々の軍エリートにとっては、それに成功して勲章を得るため、そして先に述べた東條英機のように、華族になるためだ。そのようなわかりやすい動機と、非常に俗っぽい身勝手な構図があった。

「軍人のための戦争」を示すエピソードをもう一つ紹介しておく。

日本海軍は太平洋戦争の時、アメリカの駆逐艦や輸送艦、潜水艦、航空母艦などの中で、空母ばかりを狙い、他の艦船はあまり狙わなかった。アメリカの空母はかなり強くて、日本は相当な犠牲を出すのだが、わざわざ空母を選んで突っ込んでいく。それはなぜか。

海軍のエリートは、自分が乗っている艦船がアメリカの空母を沈めると俸給や恩給が一気に高くなった。平幕力士が横綱を倒す金星みたいなものだ。駆逐艦や輸送艦を沈めても、よくやったとは言われるが、ほとんどカネにならなかった。

海軍の中だけで読まれた報告書のようなものには「この時、我が艦○○はアメリカの空母○○に戦いを挑んでいった。これも俸給のことを思えば無理もない」といったことが書いてある。

先に「日本は軍隊を事業体と考えていた」と述べた。つまり、事業体の原価計算は複雑なように見えて、「小さな契約より大きな契約」という程度でしかない。だから輸送艦を沈めてもカネにならない、空母を沈めたらカネになる。ならば空母を狙えとなってしまった。日本の海軍にもこうした悪弊があった。

多くの人が「負ける」と思っていた

先ほど、意識の高い人たちは太平洋戦争に疑問を持っていたと述べた。庶民も大本営発表で伝えられる「勝ち」が嘘なんじゃないかとだんだんわかってくる。戦場に行った身内や近所の若者たちが死んで帰ってくるのだから、当然気づくはずだ。

子どもでも嘘がわかってくる。たとえば、小学生ならアメリカに戦艦や空母が何隻あるかを児童雑誌などで知っていた。しかし、大本営が発表する「敵空母一隻撃沈」の数を全部足していくとアメリカが持っている空母の数の何倍にもなる。つまり、ある時期から大本営発表は子ども騙しにもなっていなかった。

日本はそういう嘘の戦況を庶民に伝えることで「負け」を隠していた。日本が受けた損害を、逆に日本がアメリカに与えた損害に変えて発表したりもした。最後には、黙り込んで何も発表しなくなった。皮肉を込めて言えば、これが日本の正直さなのかもしれない。

もちろん、当時は「日本が負ける」とは誰も大っぴらに言えなかった。太平洋戦争の時の軍エリートからこんな話を聞いたことがある。

「軍人の本音を言えば、最初から長期戦は頭になくて、とにかくアメリカに先制攻撃を加えて士気をそぐ。それで講和に持っていく短期決戦だった」

山本五十六も日米開戦にあたって「1、2年は暴れて見せる」と言っている。つまり、国力の差はある程度わかっていた。それならその差に応じた戦略・戦術があるはずなのに、誰もが現実から目をそらし、長期戦になり、足りない部分は精神力で補う、となっ

陸軍部隊に入営して1週間後の学徒兵。文系学生の徴兵延期が撤廃され、大学生らが動員された＝昭和18（1943）年、陸軍東部第6部隊

てしまった。

先に「これからの英雄は安全で静かな作戦室にいる。兵士たちは電話一本で呼び出されて機械の力で殺される」というチャーチルの言葉を紹介した。第一次世界大戦後、作戦を練る参謀たちは戦場からずっと離れた首都などで暖衣飽食しながら、図面を眺めて命令を出すだけになった。その命令で戦場にいる兵隊たちは悲惨な目に遭いながら戦う。

こういう二分化された戦争の悲劇性は、第二次世界大戦の日本を見るとよくわかる。たとえば、「無謀」の代名詞のようなインパール作戦（1944年3〜7月、ビルマ戦線でのイギリス軍との戦い）。3万人もの戦死者（ほとんどが餓死か病死）を出した。退路は、「白骨街道」と呼ばれたほどだ。生き残った兵隊はこんなふうに話していた。

「地図だけを見ている大本営の参謀は、ここからここは45キロだから2日で着く、強硬突破して2日で行けと命令を出す。確かに地図ではそうなっているけれど、実際は山岳地帯で急峻な崖もある。荷物の運搬は牛や馬だけが頼りだ。そんな簡単に行けるところじゃない。結局、大本営は何も考えていなかったんだ」と。

江戸の武士階級と昭和の軍隊の意外な共通性

近世の専門家にこんな話を聞いたことがある。江戸時代は人口3000万人前後の約7パーセントが武士階級だった。200万人前後の武家が各藩に散らばっていた。ただし、この数字には女性や子どもなども含まれている。成人男子に限れば30万人ほどになる。彼らの本来の仕事は戦うこと。つまり武士は兵隊だが、江戸時代は戦争がなかった。

戦わない武士たちは何をやるか。基本的に学問の習得、武芸の鍛錬、人格の錬磨に努めるが、江戸末期にもなると、彼らのなかには遊び癖を持つ者も出てくる。それで二つの病気が武士階級に広まる。一つは梅毒、もう一つはアルコール中毒だ。ただし、女遊びと酒浸りの怠け者たちがいる一方で、ストイックに自己練磨に励む者たちもいた。このように武士は二極化していく。

さて、軍事は確かに国家の暴力装置ではある。しかしその暴力は、無法・無秩序なヤクザの暴力とは違い、必ず知性や思想の裏付けがあるはずだ。逆に言うと、知性や思想のない軍隊は歯止めがなく、ヤクザと同じになってしまう。知性や思想に支えられることによって軍事は軍事たり得るのだ。

昭和の日本の軍隊は、最後には生身の暴力装置になってしまった。政治のタガが外れ、単に「負けるのは嫌だ、勝つまでやる」という形になった。知性や理性に支えられている軍隊であれば、軍隊自身が「軍事は政治の僕(しもべ)なんだ」と考えていたはずだ。

もちろん、日本の軍隊にもそう考える軍エリートはいた。しかし、そういう人たちは出世できなかった。これは組織的問題があった一つの証左だ。

江戸時代、武士は怠け者と自己練磨に励む者に二極化したと言った。昭和の軍隊はどちらの末裔なのか。残念ながら前者のそれだったのだろう。

ソ連参戦は正当か。軍事の終戦と政治の終戦

昭和20（1945）年8月15日、日本は戦争をやめた。ただしこれは、軍事が戦争をやめただけで、政治がやめたわけではない。

政治が戦争をやめたのは昭和20年9月2日。外務大臣の重光葵（まもる）と大本営の梅津美治郎（よしじろう）参謀総長が東京湾に停泊する米戦艦ミズーリ号に出向き、最高司令官のマッカーサーをはじめ、イギリスやソ連、フランス、中国などの連合国代表とともに、ポツダム宣言受諾の降伏文書に調印した時だ。

つまり、日本は昭和20年8月15日に戦闘に直結する軍事の戦争をやめて、外交交渉を含めた政治の戦争を9月2日にやめた。

ただし日本の場合、その後に大きなサイクルの戦争の終わりが二つあったとも言える。一つは日本の主権が回復した昭和27（1952）年4月28日。この日、前年に調印されたサンフランシスコ講和条約が発効して、ようやく日本は政治的に自立した。

もう一つは昭和47（1972）年5月15日。沖縄の施政権がアメリカから日本に返還

され、沖縄が本土に復帰した日だ。

さて、日本の第二次世界大戦に昭和20年8月15日と9月2日という二つの終わりがあることは、じつは日本にとって不利な論理を抱え込むことになっている。

それは、日本が戦争をやめる直前の満州や樺太などにおけるソ連軍の日本軍に対する戦闘、つまり8月15日以降にソ連軍が千島の占守（しゅむしゅ）島や北方四島に入ってきたことが正当化されてしまうからだ。

ポツダム宣言はアメリカ・イギリス・中国の3カ国が7月26日に日本に対して出したものだ。この時点でソ連は加わっていない。それを受諾すべきかどうか、日本が会議を開いたりしている中、ソ連は8月8日に日本に対して宣戦布告をし、日本の交戦国としてポツダム宣言に加わることを表明する。

日本は8月14日にポツダム宣言の受諾を連合国側に通告し、15日にその旨を「玉音放送」で公表した。つまり、ソ連が8月8日に宣戦布告したから、日本はアメリカ・イギリス・中国そしてソ連の4カ国によるポツダム宣言を受諾することになった。そして軍事の戦争をやめた。

しかし、ソ連軍は8月15日の後も日本の占守島や北方四島に入ってきた。ソ連の「共産党史」には9月2日までに対日戦は終わったと書いてある。これは、8月15日から9月2日の間、日本は政治の戦争をやめていないから戦争全体が終わったわけではない。だから北方四島などを押さえたのは正当だ、という論理だ。日本にしたら戦争をやめた後の「火事場泥棒」にしか思えないが、論理としては一応、成り立つ。

ただし、日本が政治の戦争をやめた9月2日の後、ソ連軍は9月5日まで色丹(しこたん)や歯舞(はぼまい)に入り続けた。これは明らかにポツダム宣言に違反する行為だ。こちらは何の言い訳も立たないはずだ。

ソ連にとって最も重要だったヤルタ協定

日本は第二次世界大戦に負ける過程で、狡猾なソ連の手口にしてやられたとも言える。戦争末期には、そのソ連に和平交渉を頼んだりしていたのだから、いかにも日本の腰は据わっていなかった。

しかし、そもそもソ連の日本に対する戦闘は違約状態で行われたものだ。日本とソ連は昭和16（1941）年4月に日ソ中立条約を結んでいた。効力は昭和21年4月25日までの5年間で、期限の1年前までに破棄の通告がない場合は自動延長になる。ただし、翌年のソ連は昭和20年4月5日に日ソ中立条約の破棄を日本に通告してきた。ただし、翌年の4月までは拘束される。それは当時のモロトフ外相も認めていたことだ。

このことについて、駐日ソ連大使館の歴史担当者に大手新聞の記者と一緒に問いただしたことがある。その記者は「情けってものがあるじゃないですか」などと言っていた。私は「あなたの国は中立条約に違反して日本に入ってきた。それは日本から見ると全くの違約だ。違約のもとで行ったことは全部、取り消す責任があるんじゃないか」といった聞き方をした。

ソ連大使館の担当者は「どの国もそうだが、その時々、それぞれの国には国策の序列がある。1945年8月の頃の我が国の国策で第一に大事なのは、英米と一緒にドイツを破ったあと、日本を完全に倒すことだった。第二は我が国が戦勝国になることだった」などと答えて、「あの時、我が国にとって最も重要なのはヤルタ協定だった」と言った。

昭和20年2月に米英ソでヤルタ協定を結ぶ。秘密協定もあった。アメリカのソ連に対する要請は、ソ連がドイツとの戦争に勝った3カ月以内に満州に第二戦線を作ってほしい。太平洋のアメリカ、極東のソ連による協同作戦で日本を挟み撃ちにして追い込むというものだった。

「ヤルタ協定があなたの国の国策の序列の上であろうが下であろうが、日本には何の関係もない。私たちは日ソ中立条約のことを言っている。それにどう答えるのか」と問いただしたが、ソ連の大使館員はうまく説明できなかった。

それぞれの国が危急の時には、国策の序列によって国際的な条約が勝手に無効になるとしたら、何でもありになってしまう。それはやはり許されないだろう。

(Ⅱ) 戦間期の思想と日本——アメリカから取り返すのか?

敗戦の原因を考え続けることが最大の財産

第二次世界大戦で、日本は壊滅的に「国益」を失ってしまった。それなら「戦争で失ったものは戦争で取り返す」戦間期の思想を持ってもおかしくない。しかし戦後、日本は「戦争放棄」の日本国憲法によってそのような思想を持たないことを国の内外に宣言した。吉田茂は「負け方が大事なんだ。ぐずぐず言わないで模範的な負け方を見せてやろうじゃないか」などと言い、首相になると、「軽武装、経済重視」で戦後の国づくりに邁進した。

日本は戦争放棄の憲法を今日まで77年余も守っている。そして何よりも政治指導者が「戦争で失ったものを戦争で取り返す」といった発言をしたことは一度もない。自民党のどんな保守系の首相であっても、である。

数年前、「北方四島ビザなし交流」に参加した日本維新の会の衆議院議員が、訪問先の国後(くなしり)島で、記者会見中の訪問団の団長に「戦争をしないと取り返せない」などと言って大顰蹙(ひんしゅく)をかった。酒に酔っていたとはいえ、そんなことを公言する政治家は、それまで一人も見たことがなかったから、非常に驚いた。

思えば、第一次世界大戦後にできたドイツのワイマール憲法は、日本国憲法のような内容だった。しかし、ドイツではすぐにヒトラーが登場して全権委任法で骨抜きにし、戦争で失ったものを戦争で取り返す道を突き進んだ。つまり、どんな立派な憲法があっても政治指導者しだいでどうにでもなる。それが国家権力というものだ。だからこそ、国民はおかしなことを言い出す政治家を選んではいけない。

日本は憲法と政治指導者と国民によって、今まさに戦間期の思想を持たない世界新記録を作っている。決して「戦争で失ったものを戦争で取り返す」ことはしない。それが日本の国家としての柱になっている。

その意味で言うと、日本は世界から見れば特殊な国でもある。たった一回の「負け」で戦争は二度としないと誓った。「戦争で失ったものは戦争で取り返す」と言い出す勢力も出てこないし、日常会話の中にものぼっていないはずだ。

第二次世界大戦で日本人は「金輪際、戦争なんかしたくない」と思うくらい徹底的に戦ったとも言える。それで戦争の本質的な嫌な面が骨身に染みたのかもしれない。それと同時に、日清戦争以来の日本軍の哲学なき軍事行動、ただひたすら営業品目のように戦争をしてきた「出鱈目」に対する日本人の反省があるのかもしれない。

大人から幼児までの「国家総力戦」——。陸軍記念日に全国いっせいの1分間の黙とう。幼稚園児も戦没兵士の霊を慰めて頭を下げた＝昭和14(1939)年、大阪・堂島幼稚園

それなら日本は真っ当な国だ。経験を教訓としている「理性の国家」と言える。

日本は第二次世界大戦で、二度とこんな戦争をしてはいけないという境地に至るまで、あまりにも酷い戦争をやってのけた。玉砕や特攻を行い、沖縄が蹂躙（じゅうりん）され、日本中の主な都市が爆撃を受けても降参しなかった。最終的には、広島と長崎に原爆が投下されて天皇が降参を宣言する形になった。

とことんまでの悲惨さを示す戦争を行った体験を生かして、日本はその後、「戦争しない」という国家の柱を守り、

77年余の歴史を紡いできた。こういう視点で見れば、第二次世界大戦の敗戦国・日本は、じつは「戦争そのものに対しては勝っている」と言えるのではないか。

第二次世界大戦に負けて、私たちはやっと物事を考えるようになった。それまでは「それ行け、やれ行け」で10年おきに戦争をしてきた。そして初めて徹底的に負けて、何のために戦争をしたのか、負けに至る歴史はどんなものだったのかと考えるようになった。

戦後の77年余、そのように考え続けてきたことが日本の最大の財産と言える。この財産を生かしながら戦争をしない今日に至っている。それを次の世代、その次の世代へと繋いでいく営みがなくなれば、またどこかでけろっと忘れてしまい、「それ行け、やれ行け」の国に逆戻りしてしまうだろう。

アメリカ追従という自己矛盾

安倍晋三政権も「戦争で失ったものは戦争で取り返す」などとは言わなかった。日本は戦間期の思想を持とうにも持てない。理屈としては、次の戦争の相手はアメリカ、ロシアあるいは中国になるが、たとえば中国に対して、日中戦争で失ったものを取り返すといった軽口を叩くだけでも大騒ぎになるはずだ。

しかし、安倍政権が成立させた秘密保護法や安保法制の内側には、「俺は昔の俺になりたいんだ」というある種のナショナリズム、そして戦間期の思想の危険性が秘められているように思う。「戦後レジームの見直し」という論は、奇妙な二重性を孕んでいる。その意味では、日本は自己矛盾を抱えているのだ。

つまり、日本は太平洋戦争でアメリカに負けたから国益を失った。それを取り返すならアメリカともう一度戦争をして勝つしかない。しかし現実には、日本はアメリカの庇護のもとにいる。アメリカの属国のようなものだ。親分は自分のおかげで飯が食えている子分の反抗を許すわけがない。

『自発的隷従の日米関係史　日米安保と戦後』（松田武、岩波書店、2022年）によれば、アメリカ政府は今なお日本を十分に信用していない。なぜなら、いざとなると何をするかわからない国だから。真珠湾攻撃の影響もあって、日本は真正面から意見を言わず、裏に回ると平気で裏切るような態度を取る、国際社会の礼儀が通用しない国と思われている。それがアメリカの基本的な考えだ。だからアメリカは、決して日本に核を与えたり自主防衛を許したりしない。日本を軍事的に封じ込めて、自分の目の届くところに置いておくことで日本を支配している――。一読してなるほどと思った。

歴史的に言えば、今日の日本国民は日米安保条約という固定した秩序、日本をアメリカに従属させるこの秩序のもとで生まれ、死んでいく。私たちは身も心も自主独立で生きている国民とは言えないだろう。

そう考えると、私には「親米保守」の存在がよくわからなくなる。アメリカに1945年以前の日本は正しかったと言わせたいのか。そんなことを言ったらアメリカの基本的な立場は全部崩れてしまう。相手が応じるわけがないことをもじもじと願っているとしたら、幼児のおねだりと同じではないか。甘ったれないでほしい。

アメリカの政治指導者たちは、日本の政治指導者たちと笑顔で握手をしている。しかし、心の中は全然違うと思ったほうがいい。実際、オフレコではすごい発言をしている。たとえば、古い話だがニクソン大統領は日本人をシラミ呼ばわりした。「日本人は面白い奴らだ。アジアのどの地域に行ってもいて、シラミのように群れをなして動き、利益をむさぼっている」と。

アメリカに限らない。もっと古くは、フランスのドゴール大統領も池田勇人首相に会った後、「トランジスタのセールスマンと会ってきたよ」と言った。つまり、政治的な話は何にもできない小者だと。

欧米人が日本人を馬鹿にするからといって、何も恥ずかしく思う必要はない。ただし、アメリカから日本が信用できない国と思われていることには、決して軽くない意味があるだろう。

酷薄なアメリカの二面性

ペリーによる砲艦外交が象徴するように、日本の近代化はアメリカの外圧から始まった。それにしても、日本人がアメリカの国家としての「本性」を理解しているか、いまだに心もとない。端的に言うと、アメリカの持っている「二面性」をあまり理解していないように思えてならないのだ。

アメリカは1861～1865年の南北戦争という大規模な内戦を経た国家だ。奴隷制廃止をうたう北軍の勝利によって、アメリカは常にある種の民主主義の理想を口走ることで世界に向けて理想主義を提示する国家観、あるいは歴史観を持つようになった。

たとえば第一次世界大戦後、もう世界の国々は軍事衝突をやめて全てを話し合いで解決すべきだとして、国際連盟の設立を提唱したウィルソン大統領を見るとわかりやすい。ただし、モンロー主義（対ヨーロッパ不干渉の孤立主義）に傾く議会の反対もあって、アメリカ自身は国際連盟に最後まで入らなかった。この例には、アメリカの二面性がよく表れている。

アメリカは理想主義の反面で、民主主義に敵対するようなもの、いわば自分たちに逆らうものを一切許さない。それを抹殺するためには権謀術数も使う。ベトナム戦争に本格介入するためのトンキン湾事件（1964年）の捏造や、大量破壊兵器の保有をでっち上げたイラク戦争（2003年）を見てもわかるだろう。

日本の真珠湾攻撃の時も、アメリカはある意味で罠を張っていた。真珠湾攻撃の前からアメリカはナチス・ドイツの打倒を企図していた。しかし、ヨーロッパ戦線に出撃する口実がなく、本格的に参戦できずにいた。だが、日本とドイツは三国同盟を結んでいる。アメリカと日本が宣戦布告をすれば、なかば自動的にドイツとアメリカも宣戦布告をする。そうすれば、ヨーロッパ戦線に本格的に参加できると考えていた。だから日本が攻撃してくるように仕向けていた。

そして広島、長崎への原爆の投下。日本はもうすでに勝ち目のない、息の根が止まる寸前なのに、無条件降伏を受け入れろと、最後の最後まで徹底的に抹殺する作戦を進めている。

理想主義を説きながら、現実の行動では極めてドライに残酷なことをやる。これがアメリカの二面性だ。アメリカの伝統的哲学と言われるプラグマティズム（実用主義）は、こうしたアメリカにおける理想と現実の乖離(かいり)を弁護する考え方として利用される。

アメリカの二面性は、特に戦後の日本に対する支配に一貫して出ている。今も日本にとってアメリカは、いわば重しになっている。日本はペリー以来、アメリカを利用することで歴史を作ってきたとも言えるが、結局は、アメリカに反抗してもかなないっこない、アメリカの言う通りだと屈服して、今日に至っているのだろう。

もちろん、こうしたアメリカの二面性を単純に批判することはできない。たとえば戦後、昭和20年の終わり頃にアメリカから「戦略爆撃調査団」が日本にやってきた。米国民に戦時増税をしたから、「あなたたちの税金でこうやって日本をやっつけた」との報告書作成のためだ。当然ながらドイツにも行っている。

調査員は1万人くらいいた。日本の資料は焼却されてしまったので、次々に関係者を呼び出してあれこれ聞いて全部数値化していった。別に日本のためではない。アメリカ自身のためのいわばドライな原価計算の一環だ。

ただし、その報告書のおかげで、あの戦争について調べる日本人がどれだけ助かっているか。こうした意味でも、アメリカの二面性を単純に批判することは難しいのである。

記憶を父、記録を母として教訓という子を生む

日本は戦後、いい悪いは別にして左翼的な物言いや発想が前面に出ていた。それをある種の正しさとする、たとえば歴史の見方も左翼的なほうが正しいといった誤った前提があった。

戦後は左翼的な物言いをしていると、インテリと思われたりするから安心だった。逆

に右翼的とレッテルを貼られたら大変なことになった。私でさえ、軍人たちを取材していると言うと「お前、右翼か」と責められた。

こういう左翼か右翼かでしか物事を見られない人は、日本の歴史や社会を正確に見ることができない。

私は中国・遼寧省にある「平頂山事件」の記念館に行ったことがある。平頂山事件は昭和7年に起きた日本兵による虐殺事件である。撫順（フーシュン）炭鉱で日本人5人を殺すなどした抗日ゲリラの掃討を理由に、日本兵が炭鉱近くの平頂山集落の住民を大勢殺して井戸に投げ込んだりした。記念館には被害者の遺骨が納められている。

もう20年以上前の話だが、その日、たまたま日本の労働組合の人たちが20人ほど来ていて、中国の人たちを前に「日本の軍国主義は許さないぞ」などと拳を突き上げて叫んでいた。

同行していた中日友好協会の人が「保阪さんはああいうことはしないんですか」と聞いてきたので、「やりません」と即答した。素っ気ない私の言い方に驚いた様子で、「どうしてですか」と重ねて聞く。「僕は日本人の代表でもないし、人間として許せないけれども、僕がやったわけじゃありませんから」と言ったら、さらに驚いていた。それで私はこんな説明を加えた。

「今ここで日本の軍国主義を許さないと叫ぶのは楽だけれども、本当の意味の市民の政治行動ではないと思う。あなたたちに僕が約束できるのは、日本に帰ってからのこと。もし日本がまたこういうことをする国になりそうなら、命を張ってでも防ぐことだ」

日本の侵略や残虐行為について中国政府は日本政府に「謝罪」を求めているし、中日友交協会の人も私から何か謝罪的な言葉を聞きたかったはずだ。しかし、一市民の私が「ごめんなさい」と言っても気休めでしかないし、日本の軍国主義は謝ってすむ問題でもない。

私たち市民にできることは、政治思想的なイデオロギーではなく、あくまでも人間として戦争の歴史を語り継ぐこと、そして反省し、教訓を生かしていくことだ。つまり、歴史的な反省と政治的な謝罪とは別次元にある。

あの時も、私は労働組合の人たちに「ここじゃなく、日本で叫ばなきゃいけないんじゃないの」と言ってやりたかった。明らかに中国を意識した政治的なデモンストレーシヨンだったからである。

さて2015年8月、安倍晋三首相は「戦後70年談話」の中で「あの戦争には何ら関わりのない、私たちの子や孫、そしてその先の世代の子どもたちに、謝罪を続ける宿命を背負わせてはなりません」と述べた。謝罪するのはもうやめようという、いささか乱暴な宣言である。

これも私に言わせれば、歴史や社会に対する見方が極めて政治思想的で、立場は異なるにせよ、あの労働組合の人たちのシュプレヒコールと同じようなものだ。つまり、スタンドプレーに過ぎないのだ。私が原則にしている歴史的な視点はそういうものを超えたところにある。

あえて宿命という言葉を借りるなら、私たちが持っている宿命は、記憶を父とし、記録を母として、教訓という子どもを生むことだ。歴史の中から得られる教訓を永く語り継いでいく。それが歴史や社会を正確に見るうえで必須の構えなのだ。政治的解釈や行動は、そのあとなのである。

徹底的に説明することに意義がある

日本の「戦後70年談話」と同じ2015年の5月、ドイツのメルケル首相はユダヤ人ら約4万人が虐殺されたミュンヘン郊外のダッハウ強制収容所跡地を訪れて、「ナチスがこの収容所で犠牲者に与えた底知れない恐怖を、我々は犠牲者のため、我々のため、そして将来の世代のために、決して忘れない」「我々は、皆、ナチスの全ての犠牲者に対する責任を負っている。これを繰り返し自覚することは、国民に課せられた義務だ」などと演説した。

ドイツの人たちは第二次世界大戦の勝ち負けをどう見ているのか。やはり多くは「ナチスは負けてよかった」と思っているはずだ。

ユダヤ人虐殺について、当時のドイツ国民は公に知らされていなかった。だから1945年5月にドイツが降伏した後、連合軍は人骨が山積みになっていたり、たくさんの痩せこけた死体が野ざらしになっていたりする強制収容所をドイツの国民全員に見学するよう命じた。卒倒する女性も少なくなかったが、そのようにしてナチスの残酷さ、戦争の悲惨さを教え込んだ。

私と同年代の西ドイツ出身の人に話を聞いたことがある。彼は戦後、小学生のうちにヒトラーが何をやったか、学校で徹底的に習ったそうだ。だからヒトラーに対して強い憎悪を持っている。その所業について「本当に恥ずかしい思いがする」と言っていた。

私も日本の軍事指導者の所業を恥ずかしいと感じる。ただそれと同時に、そうせざるを得ない状況やそういう教育を受けた影響があったのだから、同情とは言わないまでも、個人よりも状況や教育のほうを批判しなければいけないだろうとも思う。

また、ドイツの人たちはユダヤの人たちに対して罪の意識を持っている。この辺も中国の人たちに対する私の意識とは少し違う気がする。

私の親戚が30年ほど前、アメリカのコーネル大学に医学の基礎研究で留学した。以下はその親戚から聞いた話だ。

同じ研究所の留学仲間にイスラエル出身の医師がいて、ドイツ出身の医師のチームに加わることになった。イスラエルの医師がドイツの医師に「今日、あなたと食事をしたい」と誘い、二人でレストランに行くことになった。そばにいた私の親戚が「僕も行っていいか」と聞くと、「いいよ」となり、それで3人で食事をした。

イスラエルの医師は席に着くなり「僕はユダヤ人だ。あなたはドイツ人だ。ヒトラーやナチスの政策についてどう思うか」と尋ねた。

ドイツの医師は「我々の国の最も恥ずべき歴史はそこにある」と言って、学校でこう習った、私の父はこう話していた、それで私はこう思うと20分以上かけて、真剣に説明した。それで最後に「私は次の世代として罪の意識を持っている」と言った。

そうしたらイスラエルの医師が立ち上がって「僕はあなたと一緒に仕事ができる。よろしく」と握手を求めた。二人は握手して、それ以降、一切その話題は出なかったという。

後日、その親戚が私に電話してきた。「中国人と会ったら、そういう話をしたほうがいいのか」と聞くから、「向こうが聞いてきたらきちんと説明すればいいけど、別に自分から言うことではないよ」と答えておいた。

歴史上の国家の罪について、「すみません」と今を生きる私たちが謝る必要性をどう考えるべきか。謝ったところで何の解決にもならない。ただし、徹底的に自分の考えを説明する必要がある。それで相手が納得するかどうかは別の問題で、説明し続けることに意義がある。そのためにも戦争の歴史をきちんと継承しなければいけないのだ。

戦争の歴史を継承する姿勢、日本は甘い

中国人から第二次世界大戦について意見を求められた時、どんなふうに説明したらいいのか。個々人の歴史観からくる選択の問題ではあるが、受けてきた教育や政府を含めて社会の中にある考え、自分自身の考えなど、様々なものから選択して説明するべきだ。そのことを自覚する必要がある。

しかし、戦争の歴史を継承する姿勢において日本は甘いところがある。たとえば、ドイツ人に比べて日本人は「加害の歴史」をぼんやりと見ているのではないか。

ある中国人から聞いた話である。

彼がアメリカで出会った日本人に日中戦争での出来事をいろいろ言ったら「えっ、日本はそんなことをやったの」と驚いていたというのだ。

戦後教育を受けたドイツ人は、ヒトラーの所業を徹底的に説明することができる。罪

の意識も持っている。ただ今日のドイツの若者たちは、そこまでの教育を受けておらず、ヒトラーに対するイメージが違ってきているとも聞く。

歴史の継承に関する甘い姿勢は、大きなつけとして将来的に払わされるものだ。その意味ではドイツも心配だが、日本の場合、現実にもう悪い影響が出てきている。これはやはり大きな問題である。

ちなみに、ヒトラーを最もよく研究しているのはイギリスの文明評論家や歴史家だろう。彼らはヒトラーがやったこと、ヒトラーが登場してきた理由などについて徹底的に調べ、そして書く。だから非常に説得力がある。

イギリスの研究者は、ヒトラーの善し悪しではなく、ヒトラーが生まれてくるプロセスを丹念に見て、どうしてヒトラーが20世紀のドイツ社会に出てきたのか、その答えを分析し、そして考察する。ヒトラーは悪だという単純な前提に立つと「例外」になってしまうが、イギリスの研究者は、ヒトラーではない別の人間が同じような指導者になったかもしれないことを含みにして歴史を見ている。だから説得力を持つのだろう。

終章　核の時代の勝利と敗北

対空ミサイル「SM1」を発射する海上自衛隊の護衛艦「あさかぜ」＝2004年、米ハワイ沖

(Ⅰ) 世界は今、再び戦間期なのか?

思想対立の冷戦から民族・宗教対立の「限定戦争」へ

戦争の世界史は、20世紀前半の第一次世界大戦と第二次世界大戦をくぐり抜けて20世紀後半、米ソを中心とする東西対立の冷戦の時代に入る。

第二次世界大戦末期に原爆ができて、20世紀後半は核が最大の武器となり、戦争が核兵器のもとで行われ得る状況になった。

もし第三次世界大戦になれば、核兵器を持っている国々がお互いにそれを発射し合うことになる。それは地球の破滅だ。だから、「核兵器はあるけれども使わない戦闘」が行われた。戦闘地域も広げられない。つまり、かつてのような「全面戦争」ではなく「限定戦争」という形が20世紀後半の戦争だった。

核戦争の瀬戸際まで行ったことはあった。1962年の「キューバ危機」だ。ソ連のフルシショフ首相とアメリカのケネディ大統領の時代。ぎりぎりの交渉によって核兵器の使用に至る米ソ戦争は回避された。

キューバ危機の背景には、社会主義体制・共産主義陣営と資本主義体制・自由主義陣営とのシステム・思想の対立があった。朝鮮戦争やベトナム戦争もそうだ。

20世紀後半、社会主義体制・共産主義陣営は、そのシステム・思想によって様々な民族や宗教の違い、そしてそれぞれの国のナショナリズムを抑え込んでいた。労働者のためという名目の、支配を正当化するための戦闘も内外で繰り返した。

しかし1990年前後、社会主義・共産主義のシステム・思想が東欧、ソ連で崩壊してしまう。すると、それまで抑えられていた民族や宗教の違い、それぞれの国のナショナリズムが噴出し、戦争が起こる。ユーゴスラビアのコソボ紛争が典型だろう。

人間にとって民族意識や宗教の信仰は感情的なものだから一次的な行動の動機であり、思想は理知的なものだから二次的な行動の動機と言える。

先にも述べたが、人類の争いは食料をめぐる対立からしだいに変化し、民族や宗教の対立による争いになった。20世紀後半には思想の対立が前面に表れたが、1990年前後から再び宗教や民族の対立がはっきり顔を出してきた。アフガニスタンやイラクにおけるアメリカの戦争もその延長と言える。「テロとの戦い」の背景には、西洋文化とイスラム文化の対立がある。つまり、今日まで30年ほど民族と宗教の対立による戦争の時代が続いているのだ。

プーチンは再び冷戦を始め、核の抑止力を弱めた

プーチン大統領が始めたウクライナ戦争はどうか。

プーチンには、ソ連時代のロシアの復権という狙いがある。ロシア革命以来、ソ連は社会主義・共産主義のシステムと思想を拡大させて、いわば世界制覇を目指した。第二次世界大戦以降、その中心にいたのはスターリンだった。しかし、資本主義体制・自由主義陣営の政治的攻勢や思想的攻勢によって、1990年前後のゴルバチョフの時代にその望みは潰(つい)える。

いわゆる冷戦は、軍事よりも政治的・思想的な戦いではあったが、社会主義体制・共産主義陣営が自己崩壊し、結果的に資本主義体制・自由主義陣営に負ける形で終結した。

自己崩壊の真っ只中にいたプーチンは、ロシアの大国化がスターリン時代に現実となり、ゴルバチョフ時代に蹉跌(さてつ)をきたしたのを目の当たりにしている。それゆえ彼は、かつての大国の地位を取り戻そうとしているのではないか。その象徴がウクライナだとしたら、今回のプーチンの戦争は1990年以前のシステム・思想の対立、つまり冷戦を引きずっている戦争と言える。

ロシアが冷戦の敗北で失った思想を取り返そうとする戦争を始めるまでの約30年間は、プーチンにとって、まさに戦間期だったのだ。ただし、プーチンの戦間期は「自己崩壊」によって始まっている。先に述べたナチス・ドイツのような実際の戦闘での敗北や、賠償金による財政の逼迫(ひっぱく)などはない。つまり、取り返すべき対象が明確な戦間期とは異なり、非常に屈折した形になっている。

その意味では、プーチンの戦間期の思想は「冷戦で負けたものを冷戦で取り返す」という言い方のほうがふさわしい。実際、ウクライナ戦争に対する国際社会の反応を見れば、ロシア制裁などを行わない国々も少なくない。「新しい冷戦の始まり」のような状況になっている。

さらにプーチンはロシア帝国への憧憬を隠さない。彼が狙っているのは、新しい冷戦を持ち込むことによって、ソ連時代にとどまらない大国の栄光を取り戻すこと。そのような言い方もできる。

また、プーチンは核兵器を脅しに使っている。これは、核保有国が限定されていた中で構築されていた世界の秩序の再編成を促すものになりかねない。核を持っていない国はそういう脅しに屈服するわけにはいかない。それなら自動的に、「我が国にも核兵器を持つ権利がある」という主張が出てきてしまう。

核で脅すことは、どの国にも核を持つ権利があることを逆説的に裏付ける。インドやパキスタンが核保有に至ったのは、まさにこうした理屈によるものだった。今は北朝鮮を非難しているが、韓国や日本も核を持って対抗しようと主張するようになるかもしれない。そういう動きが世界中に広がれば、もはや核は戦争の抑止力にならないだろう。

それが直接的に第三次世界大戦に結び付くわけではない。しかし、核のもとでの限定戦争の意味が希薄になっていくほど、世界史の流れは第三次世界大戦という全面戦争の方向に動いていると言っていいだろう。

「人類の敗北」を食い止める新しい戦争論を！

ウクライナ戦争を「思想」の対立の復活、核抑止の無力化と捉えるなら、プーチンはかなり罪作りなことをやっている。そして、人類を束ねている世界の秩序の再編成が迫られているとしたら、それはつまり、人類は新しい形の戦争論を生み出すことを迫られているということだ。

もし核を使った戦争になれば、人類の滅亡まで行き着きかねず、そうなれば戦争に勝者・敗者は存在しない。戦争を選択した時点で人類の敗北が確定する。

クラウゼヴィッツは『戦争論』の中で「戦争は力の行為である。その行使においては、どのような制限もない。交戦者のいずれもが、互いにみずからの意志の実現を相手に強要する。そこで、相互作用が生じる。この相互作用は、極限にまで達せざるを得ない」と分析し、さらに「戦争は他をもってする政策の継続に過ぎない」と言った。

クラウゼヴィッツは、軍事力の行使は極限にまで達する。ただし、戦争は政治の延長である。だからこそ、あくまでも軍事は政治に従属すべきと強調した。これは、本質的には戦争に人道主義や善悪の判断が入り込む余地はないということでもある。

しかし今日、政治の延長の先に核戦争があり、人類滅亡の可能性が高まっているとしたら、それを食い止める平和論、つまり、クラウゼヴィッツを超えるような新しい形の戦争論が必要なのは当然だろう。

また、先ほど「新しい冷戦の始まり」と述べた。第一の冷戦と第二の冷戦の主な違いは何か。軍事的には、繰り返しになるが、核を使う全面戦争の可能性が高まっていること。そして政治的には、資本主義に参加する権威主義陣営といった、かつての社会主義・共産主義陣営とは異なる反民主主義・反自由主義陣営が形成されつつあること。加えて、戦場となる可能性はサイバー空間、宇宙空間にまで拡張している。もはや陸・海・空だけを戦域とする時代ではないのである。

その意味でも、第二の冷戦を平和のうちに終わらせるような新しい戦争論が求められている。

(Ⅱ) 破壊と建設、加害と被害

軍事の敗者は非軍事の勝者になる

ここまで戦争の勝ち負けについて、日本の戦争を中心に軍事・政治の両面から「逆転」の視点を用いて、その裏側を考察してきた。

第一次世界大戦前の戦争の勝ち負けはわかりやすかった。20歳を過ぎた青年たちが兵隊として徴用されて、彼らが市街地ではない空き地のような戦場で、鉄砲と大砲といった武器で戦い、その戦闘の勝ち負けによって戦争の勝ち負けが決まっていた。

第一次世界大戦からは国家総力戦になった。市街地にいる庶民も戦闘に巻き込み、徹底的に国家の機能を失わせることで、戦争の勝ち負けが決まるようになる。その意味では、第一次世界大戦の勝ち負けは漠然としていた。第二次世界大戦は、はっきりと勝ち負けの結果が出た。負けた国には、国連など国際社会に参加できないといったペナルテ

敗戦から３年、国産車のパレードが行われた。左端先頭車は尼崎の会社が製作した電気自動車「デンカ号」。その後ろ左は「たま電気自動車」。右は「日産ダットサンDB」。「たま」の後ろは「トヨペットSA」＝昭和23（1948）年、東京・上野

ィも科せられた。

しかし、戦争の勝ち負けの概念は、いろんなふうにひっくり返して説明することができる。たとえば、第二次世界大戦後の復興についてである。

文化・文明や科学技術は、すでに出来上がっているものを解体しながら新しいものを作っていく。つまり、破壊と建設は同時に進む。破壊が徹底的に行われることによって建設がむしろ楽になるのだ。

この法則は第二次世界大戦にも当てはまる。敗戦国では、都市の

焼け野原になってから４年ほど経ち、耐火建築の戸山ハイツが完成した。住宅難解消を目指す東京都の建設で和室２部屋、水洗トイレ、電気・ガス完備＝昭和24（1949）年、新宿区・戸塚

破壊が徹底的に行われたことによって、建設がゼロから始まり、新しい生活や新しい産業も始まっていく。日本やドイツがそうだ。戦勝国の都市はそこまで荒廃しなかった。従来の設備がそれなりに残っていたから、それを修繕するような形で復興に取りかかっていく。

また、日本もドイツも国力のすべてが瓦解し、政治や軍事、社会構造の膿（うみ）を一気に出したと言える。つまり、ゼロの状態になった。戦勝国から新しい政治システムをある意味押し付けられて、従来のシステムを解体した。文化的な面でも一時的に戦勝国に支配され、いわば戦勝国とのミックス文化になっていく。

その結果、敗戦国の日本やドイツは経済的な力を一気に伸ばしていった。戦勝国の経済はアメリカを除いてそれほど伸びなかった。イギリスやフランスはその典型と言える。

このように、軍事の敗者が非軍事の勝者になることは十分にあり得る。つまり、破壊の差が建設の差を生む。それ自体はある意味でブラックユーモア的だが、とりわけ経済成長において、ゼロから作った最新の特急列車に対し、古い形が温存されている普通列車が勝てないのは当然だろう。

しかし、こうした勝ち負け逆転が可能だったのは、核兵器を使わない前提の戦争だったからだ。お互いの兵力が疲弊したところで、国力も消耗したところで、民間人の犠牲も多くなったところで、もう戦争はやめようという形になった。

何度も繰り返すが、戦争の前提が「核を使う」になれば、第三次世界大戦の可能性が一気に高まる。そうなれば、勝ち負けの枠組み自体が消滅する。それは人類の敗北を意味する。

もう長くは生きていない年齢の私ではあるが、子どもたちがみんな核で死ぬような戦争の可能性をやはり見過ごすことはできない。

加害者と被害者、二つの顔を持つ日本だからこその役割

日本人はウクライナ戦争を見る時、ある種の複雑な感情を抱くはずだ。第二次世界大戦の時、日本にはロシアのような状況とウクライナのような状況、その両方があった。つまり、日本は侵略者の顔と徹底的に都市を爆撃される顔と、二つの顔を持って戦争を終わった。ウクライナ戦争で私たちは自分たちの戦争体験の二面性を見ている。

じつは、この二つの顔を見ていること自体の中に、日本が果たすべき役割を見出すことができるのではないか。

たとえば、核を使わない局地戦という限定的な戦争の枠組みを、最低限壊してはいけないと主張するのはどうだろうか。日本は日清戦争以来、侵略し続け、最後に核を投下されて「大敗」を喫した国だからこそ、そう主張する権利はあるはずだ。

どんな戦争でも、もちろん嫌だ。しかし戦争は起こる。だから戦闘は核の不使用を大

日本軍の放火で燃えるマニラ市街地。1945年２月、連合国軍の攻撃が迫ったフィリピン・マニラ中心部は、日本軍が撤退の時に放った火で黒煙に包まれた。市街戦によるマニラ市民の死者は約10万人

前提に地域を限定した中で行う。起きてしまったら早く終わらせなければいけない。こういう「当たり前」のことを最も説得力を持って世界に発信できるのは日本だろう。

「日本は確かに戦闘には負けた。しかし戦争の冷酷な論理には勝って、このような提言をしている」と国際的に評価されるに違いない。

これまでも日本は核兵器の残酷さを広島や長崎などから発信してきた。ただし、そこまでの説得力は持ち得ていないように思える。なぜだろうか。一つの要因には「被害者の視

点」の問題があるのではないか。

日本は人類史のうえで最初の核被害国である。しかし、アメリカと日本の戦争と限定すれば、「確かに犠牲になったかもしれない。けれども日本が真珠湾攻撃をして始めた戦争だ。原爆のおかげでアメリカの兵士は助かったし、戦争は早く終わったんだ」という言い分がアメリカにはある。ただの釈明に過ぎないと切って捨てたいが、こうした戦勝国の人々の論理が、長崎や広島を見る世界の目の中にあるのも事実だ。

全くその通りとは思わないが、否定し難い論理ではある。実際、2014年6月にフランスで行われた第二次世界大戦のノルマンディー上陸作戦70周年記念式典で、出席したアメリカのオバマ大統領ら戦勝国の首脳たちは、特設スクリーンに映し出された原爆投下のキノコ雲を見て拍手を送っている。プーチン大統領だけは当てつけのように胸の前で十字を切っていたが。

大きな課題は、そういう戦勝国の論理を超えて、核の被害を最初に受けた日本がどんな理論、つまり戦争論、ひいては平和論を作れるかである。日本は、いまだにそれを作ることができていない。その努力もしていない。

「被爆国」からの説得力を持つ論理

なぜ日本は、いまだに世界が納得するような、核のもとでの戦争に反対する論理を作れていないのか。日本人がそこまで論理化できる頭脳を持っていないのか、怠け者でそういうことを考えようともしないのか、口では言うけれども、本気で核を憎んでいるわけではないのか。そうではない。

私には日本人がこうした問題を真正面から見ないで、ずっと逃げてきたように思える。単に被爆国だと言うだけで逃げている。この逃げる姿勢が日本の特徴的な構えで、それが国際的に説得力を持てない大きな理由だと思う。

世界が納得するような論理を作るには、まず戦争自体の全ての要素をきちんと見て、逃げずに議論し、語り継いでいくしかない。

そうやって作り上げた論理を世界にどう発信していくか。ここにも課題がある。

私も含めて日本人は、西洋に倣う近代化で、「横文字を縦にする」翻訳文化から近代の普遍的な知識を学んできた。そこに日本特有の知識が乏しかったのではないか。何か

広島の爆心地付近で丸裸になった街路樹。活気があふれた町並みは一瞬で消えた＝1945年。撮影日時は不明

一つ、日本人が本当の意味で自立して世界に発信する知識があればよかった。禅の思想など一部あったかもしれないが、それは、いわば普遍性を持たない知識だった。

日本が国際社会に出た明治から、今ようやく150年が過ぎたばかりだ。やはり日本人の物事の考え方の相当奥深くには、長い「鎖国」の間に培われたものが沈んでいる。たとえば、先に紹介した新渡戸稲造の「武士道」だが、そこに独自性はあるものの、世界の人々が常に参照するような知識としての普遍性はなかったし、日本人自身も、軍人たちがそうであったように、そのプラス面を継承することができなかった。

世界的に見れば、日本の歴史学や政治学など人文・社会系の研究書は論理の面で弱いように思える。世界をリードしているイギリスの学者の書物と比べると、残念ながら相当な開きがある印象だ。

台湾有事は米中戦争に発展しない

日本人にとって今、最も気になる「戦争が起こる可能性」の一つは米中対立ではないか。この点で意表を突く視点になるのが、冒頭で触れた石原莞爾の「世界最終戦」論だ。石原は日本の軍エリートには珍しく哲学的な軍事観を持っていた人物だ。かなり偏っていたし世界的な思想になり得ない考え方ではあったが、戦争を捉える視点の一つとして参考になるはずだ。

石原は1920年代に、ゆくゆくは東洋文明の覇者である日本と西洋文明の覇者であるアメリカとの間で世界最終戦争が行われる。そして勝ったほうの文明が人類を支配し、戦争のない安寧の時がやってくるだろうということを言った。

講演先で、それはいつかと聞かれ、1984年くらいと答えたりもしている。時期は当てずっぽうとしても、ある日突然生まれた考えではなく、徹底的に歴史と軍事を勉強して出した石原の文明論だ。

石原は世界最終戦争に日本が勝って、天皇制の皇道文明が世界を支配すると予言した。このことについて彼は、1945年に戦争が終わった後、「若気の至りだった。取り消したい」などと恥じている。

あえて言えば、この石原の文明論はある意味で当たっているかに見える。ただし、今日の米中対立を見ればわかるように、東洋文明の覇者は日本ではなくて中国だった。今のところ直接的な軍事衝突はないが、アメリカと中国は最終的に戦争になってもおかしくない方向へ向かっているかのようでもある。

引き金になるとしたら、やはり「台湾有事」だろう。中国は国内問題と言いながら、台湾周辺の海域にとどまらず、東南アジア周辺の海域まで軍事的に押さえようとする覇権主義になっている。アメリカはそんな中国を抑え込もうとしている。そのアメリカに中国はさらに反発している。

ただし、もし中国が台湾に侵攻し、台湾を支援するアメリカ、さらにアメリカに追従する日本と戦争状態になったとしても、ウクライナ戦争と異なり、核を使うような全面戦争の可能性はほとんどゼロのはずだ。政治指導者たちが早期に止めることができるような限定戦争で終わるに違いない。中国と台湾の紛争は基本的に「内戦」であるし、中国には核保有国であるインド、パキスタンとの三つ巴の国境紛争において、ロシアのように露骨な核の先制使用の脅しをかけていない事実があるからだ。

ちなみに2023年1月、アメリカの有名なシンクタンク「戦略国際問題研究所（CSIS）」が、台湾有事のシミュレーション（机上演習）の報告書を公開した。設定は2026年に中国軍が台湾の海軍や空軍を攻撃して台湾を包囲し、数万人の兵隊が上陸するというもの。基本的には米軍の支援を受けた台湾軍が中国軍を10日以内に撃退するが、台湾単独の防衛の場合や、日本が中立を保ち米軍基地の使用を認めない場合、台湾が中国に敗れるとの結果も出た。

中国軍の攻撃で台湾軍は平均で3500人の犠牲者、米軍は航空機168〜372機、艦船7〜20隻、空母2隻の損失と死傷者1万人を出す。日本の自衛隊は米軍基地や自衛隊基地が攻撃された場合に参戦し、平均で航空機122機、艦船26隻の損失を出す。中国軍の死傷者は2万2000人に及ぶ。

この手のシミュレーションはCSIS以外にも米軍などが示していて、米軍が失敗するとか長期化するといった異なる結果も出ている。要するに、あくまでも当否不明だから一喜一憂するような話ではないだろう。

もちろん、台湾有事となれば中国も相応の損失を出す。中国の「原価計算」はアメリカとの戦争を選択しないし、アメリカのそれも同様のはずだ。

国家の戦争が死滅する時代へ

これからの戦争を考えるうえでは、「国家の戦争は死滅するかもしれない」という視点も重要だ。それはウクライナ戦争が見せている全く新しい戦争の一面と言える。

ウクライナ戦争が示した驚くべき変化は、ロシア兵の捕虜と脱走兵、そしてロシア国外に脱出する若者たちの多さだ。納得できないとなったら徴兵される前に逃げ出す。戦場に行ってもすぐ捕虜になる、あるいは脱走してしまう。つまり、国家の戦争に納得できない時に今日の若者はそのような態度を取ることが明らかになった。今までもある程度いたが、かなり少人数だった。しかし、ウクライナ戦争では規模が全く違うし、平気で行われるようになっている。

端的には、ナショナリズムの崩壊とか国家の威厳の消失といった言い方になるが、そこにはいろいろな要因がある。

たとえば、人道主義の浸透だ。この視点から「戦争は嫌だ」と思う人はかなり多い。人道主義は、国家の理念や論理に対して、人間が個人として自立して対峙する考え方とも言える。その考えに基づいて行動する個人を守るのは民主主義とか人権思想といったものだが、戦争は本質的にそういうものを否定する。

戦時下で、自分はあくまでも民主主義や人権思想を守る側に立ちたいとなったら、ロシアの若者たちのように兵役を拒否するか、兵役中に逃亡するかさっさと捕虜になるか、あるいは自殺するかだろう。人道主義から見れば、何らかの形で戦争から離脱することは最大の美徳と言える。

さて、今日の日本の若者たちは、市民社会の中に戦争が持ち込まれた時、納得できないものには参加しないという基本的人権を取るか、国益や国家の命令を取るか。たとえば、もし台湾有事が飛び火するなどして、尖閣諸島で日中が戦争になったらどうか。あえて顰蹙を買う物言いをする。あんな小さな島をめぐって何人もの人間が死ぬのは解せないことだ。そんな戦争で死ぬなんて、何のために生きてきたのかわからない。今日の若者はそんなふうに考えておかしくない。だから国益などよりも基本的人権を取り、日本の多くの若者がさっさと海外へ逃げ出して戦争から離脱するのではないか。もし台湾有事で日本の米軍基地が攻撃されたとしても同じ気がする。

いずれにしても、こうしたことがどの国でも起こるとしたら、国家の戦争はこれから死滅するかもしれない。ウクライナ戦争において戦わない人々の選択がどのように行われているのか。ロシアだけでなく、ウクライナでも同じようなことが起こっている可能性もある。実態が明らかになってくれれば、戦争に対する理解自体も大きく更新されるはずだ。

偽善が入り込んではいけない

私はこれまで日本軍のエリート軍人や兵士を中心に、戦争体験者4000人ほどの話を聞いてきた。そこで得た大きな学びは「人は自分の生きた時代から逃れることができない」ということだ。戦後になってから「左翼だ」と言っている元軍人でも、ずっと話していると、どこかであの時代の論理などを懐かしむ心理が表に出てくる。

彼らは思想的・政治的には古い論理を批判する。しかし、一緒に酒を酌み交わすと、「保阪さん、軍歌を一緒に歌おう」と言い出したり、中国の戦線での武勇伝を自慢げに語り出したりする人がかなりいた。つまり、感情には、生きてきた時代そのものの中に潜んでいる空気が染みついている。

人の頭と体は放っておくとバラバラになる。だからこそ大事なのは、生きている時代から逃れられないことを前提に、逃げようとしないできちんと向き合って、それを超えていくこと。つまり、過去を見つめて教訓を身につけなければいけない。そうしなければ、生き方そのものが偽善になってしまう。

残念ながら言論界では、戦中は「天皇のために死ぬのだ」と軍国主義を煽っていながら、戦後はすっかり口をぬぐって、「日本は平和でなければいけない」などと言いつつのる左翼系の人たちが跋扈し過ぎた。

そういう偽善の生き方が通用するのは、日本の社会が、正直者が馬鹿を見る形になっていることの裏返しだろう。それは、いわば何も言えずに苦しみながら死んでいった大勢の人たちを嘲笑う社会であって、決して健全とは言えない。

多くの戦争体験者の話を通じて、どういう生き方が本当の意味で理に適っているのか、随分と考えさせられた。結局、行き着いたのは「理性」と「感情」のバランスをいかにコントロールするかという問題だった。

これは戦争の歴史の捉え方にそのまま当てはまるテーマと言える。やはりそこにも偽善が入り込んではいけない。

安心を求める戦争で安心は得られない

私たちは今まさに、77年余も戦争をしていない日本の歴史に参加している。こうした「歴史認識」も感情やイデオロギーを制御する大きな一助になるはずだ。

日本は第二次世界大戦が終結した後の77年余の中で、過去の戦争を糧として、大きな形の歴史的な遺産を獲得している。それは「あの戦争には勝った」と言っていい状態ではないのか。

確かにあの戦争は無条件降伏という形で終わった。しかし長い時間軸と俯瞰する目で見ると、あの戦争は私たちに反省を促し、教訓を与え続けている。戦争の持っている様々な要素を歴史の中に昇華させてそれを生かしているならば、日本は「勝者の国」と言っていいだろう。

第1章で戦争が起こる理由の一つに「安心できる空間の確保」を挙げた。政治指導者や国民がこの「安心への渇望」にとりつかれたら、戦争する以外になくなってしまう。尖閣諸島や竹島、北方四島をめぐる領土問題の背景には、突き詰めれば、この安心への渇望があるのではないか。つまり、自分たちが支配する空間を少しでも広げることで安心を確保したいという感情の問題が根っこにある。

だが、安心の確保を求める戦争では決して安心は得られない。このことは今日のウクライナ戦争を見ても明らかだが、明治以来の戦争の果てに「勝者の国」となった日本は、それを歴史体験的にすでに知っているはずだ。

安心を確保したい感情を理性によってどうコントロールするか。日本にとっての領土問題は、そんな人間論的な問題でもある。

新しい戦争論は、こうした人間論を含んだものであってほしいと願う。私たちは、そういう戦争論を作り上げる責任を自覚する必要がある。

あとがき

本文でも触れたが、ロシアによるウクライナへの軍事侵略は、新しい時代の平和論や戦争論を私たちに教えることになった。もっとわかりやすく言うなら、この戦争の始まりはまさに20世紀型の帝国主義型の戦争であった。１９３１年の日本軍による満州事変、１９３９年のナチスドイツによるポーランド侵攻などとよく似ている。始まりは過去の歴史と重なり合う。

ところが戦争の内実は全く異なっている。いわば21世紀型の戦争になっている。どういうところがそうなのか。プーチン大統領が核の使用を示唆したこと、サイバー戦争で戦争の一部が不可視になっていること、ドローンを使った新しい戦術が一般化していること、戦争企業が参戦して戦争が営業行為に転じていること、などがすぐに指摘できるであろう。こうしたことを整理してみると、二つの新しい形が見えてくる。

その二つとは、「核抑止下の平和論」「戦争論の変化」である。本書の趣旨に則って記すならば、「戦争論の変化」はこれまでのクラウゼヴィッツの説いたテーゼとは大いに異なっている。戦争が政治の延長とか、戦争とは自らの意志を敵に押し付ける暴力行為であるといった論は、問い直されなければならない。

どういう問い直しが必要なのか。ウクライナ戦争を見ていくと、この戦争には勝者はいない。たとえプーチンが勝ったにしても、ウクライナの国民はこれから何十年も決してロシアを許さないであろう。つまりプーチンは戦争を選択することで、指導者として大きな過ちを犯したことになる。

したがって、政治の延長として戦争を選んでも事態はより深刻になる。それゆえに「政治の延長として戦争を選択すれば、それによって敗者になる」とテーゼを変えていかなければならない。

戦争は敗者の選択なのだ。それを逆説的に証明しようとしたのが、本書の意図である。近代日本史は戦闘に勝ったと喜び、自省や自己点検を怠り、そしてやっと最後の太平洋戦争で「勝った」のだ。新たなテーゼの獲得に成功したのである。それを一般的な常識としていく必要がある。

日清戦争以来、ほぼ10年おきの戦争で「勝った」と喜んでいたのは、実は負けていくプロセスだったのだ。増上慢極まれりという日本人の姿は、歴史の中で負けていく姿だったと解釈すべきだったのである。

本書の新しい視点のための本作りは、朝日新書編集長の宇都宮健太朗氏、そして構成や資料集めなどの作業を進めてくれた編集者の福場昭弘氏、高橋和彦氏の多大な尽力に支えられた。感謝の意を表したい。

2023（令和5）年3月

保阪正康

保阪正康 ほさか・まさやす
1939年、北海道生まれ。ノンフィクション作家。同志社大学文学部社会学科卒業。編集者を経て作家活動に。「昭和史を語り継ぐ会」主宰。延べ4千人に及ぶ関係者の肉声を記録してきた。2004年、第52回菊池寛賞受賞。『昭和陸軍の研究』『ナショナリズムの昭和』（和辻哲郎文化賞受賞）『昭和史の急所』『陰謀の日本近現代史』『歴史の予兆を読む』（共著）など著書多数。

朝日新書
903

歴史の定説を破る

あの戦争は「勝ち」だった

2023年4月30日第1刷発行
2023年5月30日第2刷発行

著　者　保阪正康

発行者　宇都宮健太朗
カバーデザイン　アンスガー・フォルマー　田嶋佳子
印刷所　凸版印刷株式会社
発行所　朝日新聞出版
〒104-8011　東京都中央区築地5-3-2
電話　03-5541-8832（編集）
03-5540-7793（販売）

Published in Japan by Asahi Shimbun Publications Inc.
ISBN 978-4-02-295213-4
定価はカバーに表示してあります。